Tutanchamun

**Das Grab
und seine Schätze**

THAMES & HUDSON

Tutanch

amun
Das Grab und seine Schätze

I.E.S. Edwards

Schwarz-weiß-Photographien
Harry Burton

Farb-Photographien
Lee Boltin

Nachwort und Übersetzung
Dr. Joachim Rehork

Gustav Lübbe Verlag
Bergisch Gladbach

Harry Burtons Schwarz-weiß-
Photographien, während der
Ausgrabungen im Tal der Könige
aufgenommen, wurden im Metro-
politan Museum's Photograph
Studio von den Original-
Glasnegativen abgezogen.

Anmerkung des Photographen:
Aufnahmen, wie sie nach Art und
Umfang für dieses Buch gemacht
wurden, bedürfen vielerlei Mithilfe.
Mein besonderer Dank gilt
Christine Roussel, Christine
Lilyquist, Ken Kay, Richard
Morsches und William Pons.
Lee Boltin
Kairo – New York
November 1975 – März 1976

Satz: Klever Repro Fotosatz,
Bergisch Gladbach
Druck, Einband:
A. Mondadori Editore, Verona
Alle Rechte vorbehalten.
Printed in Italy 1978

ISBN: 3-7857-0211-6

VORWORT

VON THOMAS HOVING, DIREKTOR DES METROPOLITAN MUSEUM OF ART, NEW YORK

Seit 1922 Howard Carter bei seinen Grabungen, die er unter der Schirmherrschaft des damaligen Earl of Carnarvon durchführte, das Grab Tutanchamuns mit seinem so überaus reichen Inhalt fand, erschien über den jungen Pharao, sein Grab in der Felswüste des ›Tals der Könige‹ und über die beispiellosen Kunstwerke, die es in seinen vier engen Kammern barg, ein Buch nach dem anderen. Aber ein Werk wie das vorliegende gab es noch nie. TUTANCHAMUN – DAS GRAB UND SEINE SCHÄTZE ist die erste Veröffentlichung mit dem erklärten Ziel, den Leser und Betrachter Schritt für Schritt durch die unermeßlich reich ausgestatteten Grabkammern eines Pharao zu führen, der für uns eine der glanzvollsten Perioden Altägyptens verkörpert.

Das Buch enthält den faszinierenden Bericht der archäologischen Erforschung des Tutanchamun-Grabes – eine Bildreportage in Schwarzweißaufnahmen des Expeditionsphotographen Harry Burton, der das verwirrende Durcheinander all der Herrlichkeiten in den einzelnen Räumen ebenso einzufangen verstand wie Nahansichten unendlich kostbarer, luxuriöser Kleinigkeiten des täglichen Gebrauchs – dies gilt für rührende Erinnerungsstücke aus der Kindheit des jungen Herrschers ebenso wie für den großartigen Schmuck, die Möbel und die Skulpturen, die man dem Toten schließlich auf die Reise ins Jenseits mitgegeben hatte. Diesen heute schon zu Geschichtsdokumenten gewordenen Schwarzweißabbildungen stehen meisterhafte Farbaufnahmen der einzelnen Kunstwerke gegenüber.

Die Aufnahmen entstanden mit Sondererlaubnis des Ägyptischen Museums in Kairo, das dem Schöpfer dieser Bilder, Lee Boltin, Arbeitsbedingungen gewährte wie keinem Photographen zuvor.

Das ungewöhnliche, kontrapunktische Gegenüber aktueller und historischer Bilddokumente vermittelt etwas von der Erregung, die einst die Entdecker ergriff, und gibt zugleich einen Begriff vom außergewöhnlichen Glanz der Funde. Wie einst jene Männer, die das Grab öffneten, sind auch wir beim Betrachten der Bilder überwältigt von der atemberaubenden Fülle goldener Schätze in jeder der vier Kammern, die 3200 Jahre lang verschlossen waren. Wir erleben die qualvoll langsame Freilegung der Mumie mit ihrem kostbaren Schmuck noch einmal, und es ist, als ob wir dabei etwas von der drückenden Hitze zu spüren bekämen, die in der beklemmend engen Grabkammer lastete.

Auf seine Art ermöglicht uns dieses von I. E. S. Edwards, einem Fachmann auf dem Gebiete der Ägyptologie, kenntnisreich und einfühlsam verfaßte Werk eine Reise mit der »Zeitmaschine« – nicht nur in das Entdeckungsjahr 1922, sondern Jahrtausende zurück in jene Zeit, als antike Grabräuber hier ihr Unwesen trieben, ja noch weiter zurück bis zu jenem Augenblick, da Angehörige des verstorbenen jungen Herrschers, die um Tutanchamun trauerten, einen winzigen Blumenkranz auf den Sarg legten, um dann – für alle Ewigkeit, wie sie glaubten – das Grab des jungen Gottkönigs schließen zu lassen.

WER WAR TUTANCHAMUN?

Um 1343 v. Chr. geboren, war Tutanchaton (wie der spätere Tutanchamun ursprünglich hieß) wohl ein Sohn des berühmten Pharao Echnaton und einer Nebenfrau. Um 1336 v. Chr. erhob Echnaton Tutanchatons vermutlichen Bruder (oder Halbbruder) Semenchkarê zum Mitregenten und Thronerben – ein Rang, der Semenchkarê durch die Heirat mit seiner Halbschwester Meritaton – der ältesten lebenden Tochter Echnatons und Nofretetes – zustand.

Einige Jahre darauf starben beide Könige. Mit neun Jahren heiratete Tutanchaton Meritatons jüngere Schwester, Anchesenpaaton, und trat die Thronfolge an. Echnaton hatte eine monotheistische Religion eingeführt und Aton, den Gott in der Sonnenscheibe, zum alleinigen Gott proklamiert. Außerdem hatte er in Amarna eine neue Hauptstadt errichtet, die an die Stelle Thebens treten sollte. Schon vor seinem Tode zeichnete sich eine Opposition ab, die später die Oberhand gewann und Tutanchaton bewog, etwa im dritten Jahr seiner Regierung die von Echnaton geschlossenen Tempel der älteren Götter wieder öffnen zu lassen, Theben (Luxor) seinen alten Rang als Metropole zurückzugeben und durch Änderung seines Namens in Tutanchamun die Rückwendung zum früheren Reichsgott Amun zu dokumentieren. Auch seine Gemahlin nannte sich fortan Anchesenamun. Tutanchamun starb etwa 1325 v. Chr., kaum 19 Jahre alt.

Tutanchamuns Grab liegt in einer tiefen Schlucht in der Felswüste westlich vom Nil, und zwar gegenüber von Luxor im sogenannten ›Tal der Königsgräber‹ oder ›Tal der Könige‹ (der arabische Name <u>Bibân el-Mulûk</u> bedeutet wörtlich ›Pforten der Könige‹ und bezieht sich auf die Eingänge zu den Herrschergräbern). Als erster König wurde hier Thutmosis I. (etwa um 1524-1518 v. Chr. einsam bestattet. Sein Architekt Ineny vermerkt, er habe das Felsgrab »an einem einsamen Ort« geschaffen, »wo niemand zuschauen und niemand zuhören konnte«. Frühere Könige errichteten massive Pyramiden – hier gab es eine mehr als 500 m hohe natürliche Felspyramide (die Aufnahme zeigt sie), die das ganze Tal beherrscht: das sogenannte ›Horn‹. Ineny dürfte kaum damit gerechnet haben, daß der von ihm ausgesuchte Begräbnisplatz dann zur Königsnekropole der nächsten 450 Jahre werden würde. Der einzig gangbare Weg in das Tal führt durch den Einschnitt (vorn im Bild). Hier muß Tutanchamuns Leichenzug entlang geschritten sein, mit ihm die Schätze, die man ihm ins Grab gab.

Nachzutragen bleibt, daß man sich über die Lebens- und Regierungsdaten mancher ägyptischer Pharaonen durchaus nicht einig ist. So schwanken die Zeitansätze für Thutmosis I. zwischen 1539-1520 (Drioton/ Vandier) und 1508/1505-1493 (von Beckerath); als Todesjahr Tutanchamuns findet man bisweilen auch 1353 (Cyril Aldred), 1337/1336 (von Beckerath) oder 1333 (Werner Helck) angegeben (andere Gelehrte ziehen noch andere Zeitansätze vor).

Zwischen 1903 und
1912 finanzierte Theodore M. Davis,
ein amerikanischer Geschäftsmann,
eine Reihe von Ausgrabungen im
›Tal der Könige‹. Die Arbeiten
wurden unter Leitung erfahrener
Ägyptologen durchgeführt, unter
ihnen befand sich auch Howard
Carter. Zahlreiche bedeutende
Entdeckungen glückten den
Ausgräbern, unter anderem stieß
man auf die samt und sonders
ausgeplünderten Gräbern von vier
Königen, doch auch das unversehrte
Grab der vermutlichen Urgroßeltern
Tutanchamuns, Juja und Tuja, kam
zum Vorschein. Es enthielt eine
Grabausstattung, die in ihrem

Reichtum damals nicht ihresgleichen hatte. Außerdem glaubte Davis, die Überreste von Tutanchamuns Grabmobiliar gefunden zu haben. Tatsächlich aber war es eine Sammlung schon im Altertum gestohlener Gegenstände, die die Räuber hier versteckt hatten und auf die später niemand mehr Anspruch erhob. Ein weiterer Fund glückte 1907: Es handelte sich um einen Hort von Objekten, die in der Grube vorn im Bild links versteckt waren. Diese Entdeckungen schienen nicht sehr folgenschwer, doch lieferten sie wichtige Anhaltspunkte für die Lagebestimmung des Tutanch-amun-Grabes.

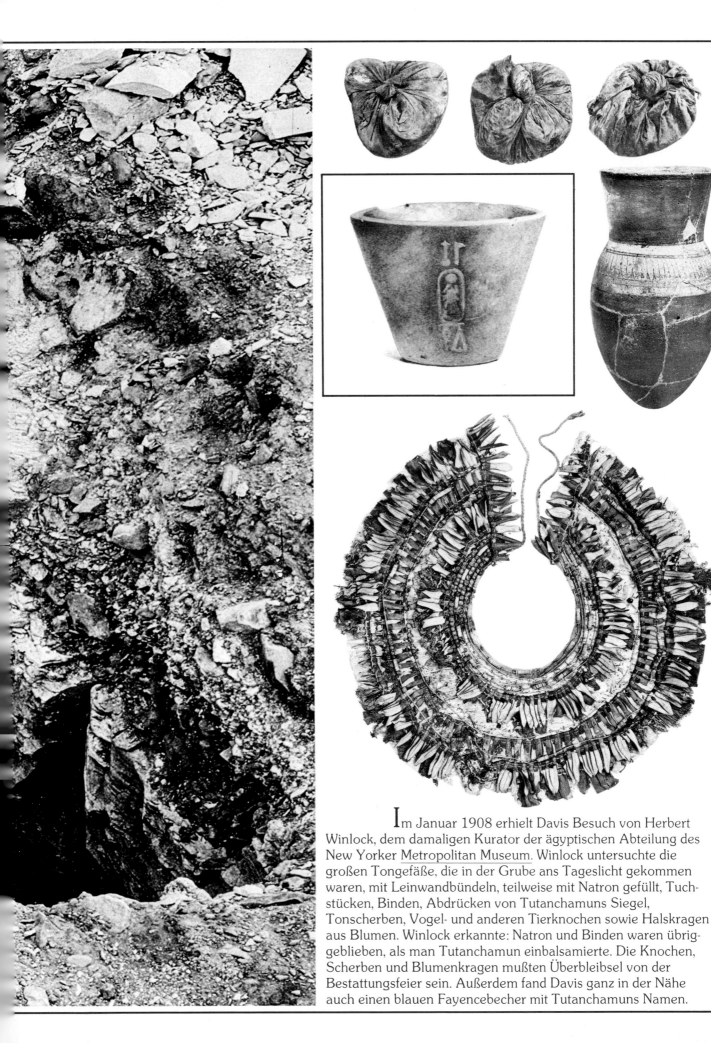

Im Januar 1908 erhielt Davis Besuch von Herbert Winlock, dem damaligen Kurator der ägyptischen Abteilung des New Yorker Metropolitan Museum. Winlock untersuchte die großen Tongefäße, die in der Grube ans Tageslicht gekommen waren, mit Leinwandbündeln, teilweise mit Natron gefüllt, Tuchstücken, Binden, Abdrücken von Tutanchamuns Siegel, Tonscherben, Vogel- und anderen Tierknochen sowie Halskragen aus Blumen. Winlock erkannte: Natron und Binden waren übriggeblieben, als man Tutanchamun einbalsamierte. Die Knochen, Scherben und Blumenkragen mußten Überbleibsel von der Bestattungsfeier sein. Außerdem fand Davis ganz in der Nähe auch einen blauen Fayencebecher mit Tutanchamuns Namen.

Als Davis 1914 seine Ausgrabungen beendet hatte, erhielt Lord Carnarvon die Erlaubnis, im ›Tal der Könige‹ zu forschen. Howard Carter, der schon seit 1907 Grabungen Lord Carnarvons leitete, war bereit, sofort mit der Suche nach Tutanchamuns Grab zu beginnen. Doch der Erste Weltkrieg brach aus, und das Vorhaben wurde bis 1917 zurückgestellt. Nach fünf erfolglosen Saisongrabungen zweifelte Lord Carnarvon, ob sich weitere Ausgrabungen überhaupt noch lohnten, doch gab er Carters Bitten, eine weitere Saisongrabung zu gestatten, nach. So wurde am 1. November 1922 die Arbeit wieder aufgenommen, und am Morgen des vierten Grabungstages kam unter einer Hütte, die wohl Arbeiter beim Bau des nahen Grabes Ramses' VI. errichtet hatten, die erste Stufe einer in den Felsen gehauenen Treppe zum Vorschein. Sie lag nicht weit von dem Punkt entfernt, wo Carter bei seiner ersten Saisongrabung die Arbeiten eingestellt hatte, um den Touristen nicht den Zugang zum Grab Ramses' VI. abzuschneiden. Sollte diese Treppe zum Grab Tutanchamuns führen?

Umseitig: Am darauffolgenden Nachmittag lagen zwölf Stufen frei, und noch war das untere Ende der Treppe nicht erreicht. Aber nun stand fest: Die Treppe führte zu einer Türöffnung im Felsen, die mit Geröllsteinen verschlossen und mit einer Lehmschicht verschmiert war. Bevor der Mauerbewurf eintrocknete, hatte man Siegel hineingedrückt. Wie das oberste der drei abgebildeten Siegel (die später an einer anderen Tür innerhalb des Grabes gefunden wurden) zeigten sie einen ruhenden Schakal über neun Gefangenen, allerdings ohne Kartusche: Es war das Zeichen der für die Sicherheit der Gräber verantwortlichen Aufseher der Königstotenstadt. War Carter hier auf ein noch nicht geplündertes Grab gestoßen? Unklar war, wem das Grab gehörte. Carter brach oben in die Tür eine kleine Öffnung, um nachzusehen, was hinter dem Mauerverschluß lag. Aber der Gang hinter der Tür war von unten bis oben zur Decke mit Steinen und Geröll angefüllt.

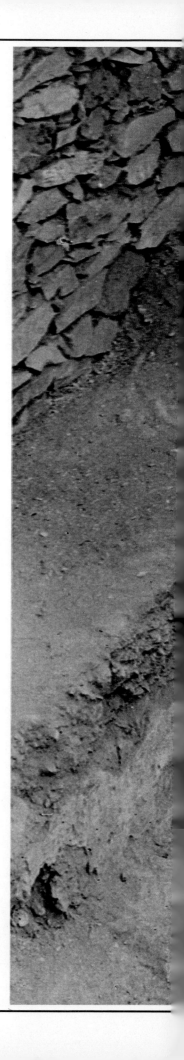

Am nächsten Morgen sandte Carter sein historisches Telegramm an Lord Carnarvon: »Habe endlich wunderbare Entdeckung im ›Tal‹ gemacht; ein großartiges Grab mit unbeschädigten Siegeln; bis zu Ihrer Ankunft alles wieder zugedeckt. Gratuliere.« Doch noch mancher Tag verging, ehe Lord Carnarvon in Ägypten eintraf. Wie Carter telegraphiert hatte, so geschah es: Die Treppe wurde wieder zugeschüttet. Freilich war kein Photograph zur Hand, um jede Arbeitsphase im Bild festzuhalten. Nebenstehende Aufnahmen, die die Tür bereits mit Brettern verschlossen zeigen und auf denen man Menschen körbeweise Kalksteinsplitter und Sand herbeischleppen sieht, entstanden erst Wochen später. Doch schon am 6. November spielte sich alles genauso ab, nur daß damals der noch nicht entfernte Steinverschluß der Tür einen Bretterverschlag überflüssig machte. Die Methode, die Carter damit anwandte, war zwar mühsam, aber – da ein Grabungshelfer damals (entsprechend dem damaligen Wechselkurs) 25 Cents am Tag erhielt – nicht allzu teuer, und vor allem gewährte sie maximalen Schutz.

Am 23. November traf Lord Carnarvon mit seiner Tochter, Lady Evelyn Herbert, in Luxor ein. Die Treppe war wieder freigelegt, ebenso die vier restlichen Stufen und damit auch der untere Teil der zugemauerten Tür. Hier gab es andere Siegel als am Oberteil: die Siegel Tutanchamuns (genau wie die beiden unteren der drei bereits abgebildeten Siegel). Allerdings war nun auch klar, daß die Blöcke mit den Siegeln der Königtotenstadt nicht den originalen Türverschluß bildeten, sondern nur die von ungebetenen Besuchern entfernten ursprünglichen Verschlußsteine ersetzten. Unberührt geblieben war lediglich der Mauerteil mit den Siegeln Tutanchamuns. Ganz sicher hatte man das Grab Tutanchamuns vor sich. Bereits vor der Zeit Ramses' VI. (etwa 1141-1133 v. Chr.), aus der die Hütte über der Zugangstreppe und der neue Verschluß der Eingangstür stammen, war es beschädigt worden. Sein Inhalt konnte kaum unversehrt geblieben sein. Und doch – man hatte die Steinblöcke des Türverschlusses erneuert. Dies ließ darauf schließen: Die Grabräuber mußten noch etwas zurückgelassen haben, das wertvoll war . . .

Hinter der zugemauerten und versiegelten Tür lag ein abwärts führender Gang, vollständig mit Sand, Steinen und Geröll angefüllt. Als die Füllung entfernt wurde, glückte ein weiterer verblüffender Fund: Der Schutt war mit Gegenständen (und teilweise Fragmenten) durchsetzt, die – daran bestanden kaum Zweifel – aus dem Grab stammten. Darunter befand sich diese reizvolle, bemalte Wiedergabe einer Lotosblüte mit einem Menschenkopf. Sie war Teil einer Skulptur, die offenbar Tutanchamun darstellte – oder vielmehr die Geburt Tutanchamuns aus einer Lotosblume, ebenso wie einst, als das Universum entstand, der Sonnengott einer Lotosblüte auf den Fluten des Urozeans entstieg. Am Ende des Stollens lag eine weitere blockierte Tür, die genau der ersten entsprach, bald aber durch das rechts abgebildete Stahlgitter ersetzt wurde.

DIE VORKAMMER

Der 26. November war – so Carter später – »der Tag der Tage, so wunderbar, wie ich nur jemals einen erlebt habe und wie ich niemals wieder einen erleben kann«. Bei Carter warteten sein Assistent A. R. Callender, Lord Carnarvon und dessen Tochter, Lady Evelyn Herbert, voller Ungeduld, als er »mit zitternden Händen … eine kleine Öffnung in der linken oberen Ecke« des Mauerwerks brach, das die zweite Tür verschloß, und eine brennende Kerze durch die Öffnung hielt. Langsam gewöhnten sich seine Augen an das Flackerlicht, so daß er »seltsame Tiere, Statuen und Gold – überall glänzendes, schimmerndes Gold« erkennen konnte. Unmittelbar vor ihm stand eine Bahre mit Kuhköpfen. Sehr wahrscheinlich sollte sie Tutanchamun in das Reich des Sonnengottes tragen, denn nach der Legende stieg auch der Sonnengott, wenn seine Herrschaft auf Erden beendet war, auf dem Rücken der kuhgestaltigen Göttin Mehet-weret zum Himmel empor.

Hinter der Tür lag ein
Kelch aus Alabaster. Carter nannte
dieses Prunkgefäß ›Wunschbecher
des Königs‹, weil die Inschrift am
äußeren Rand der Schale den
Wunsch ausdrückt, der Herrscher
möge noch »Jahrmillionen lang« den
›Nordwind‹ (d. h.: den kühlenden
Lufthauch des Mittelmeeres)
genießen. Die Schale ahmt eine
geöffnete Lotosblüte (Nymphaea
lotos) nach. Blüten und Knospen
des Blauen Lotos (Nymphaea
caerulea) bilden die Henkel. Sie
tragen Hech, den Gott der Ewigkeit.
In beiden Händen hält er die Hieroglyphe für ›Leben‹ sowie eine
Palmrippe mit ihren Kerben, das

Zeichen für ›Jahr‹, die wiederum
auf einer Kaulquappe über einem
Seilring (den Symbolen für
›100 000‹ und ›Unendlichkeit‹)
ruht. Die Symbolgruppe bringt
somit den Wunsch zum Ausdruck,
Tutanchamun möge »100 000 Jahre
ununterbrochen leben«.

Zwischen der Bahre mit den Kuh- und einer anderen mit Löwenköpfen standen fünf reichverzierte Salbgefäße aus Alabaster. Das Gefäß links setzt sich aus zwei miteinander verkitteten Stücken zusammen. Sein Unterteil besteht aus einem Ständer (bzw. ›Fuß‹), flankiert von ›Lebens‹-Zeichen mit Händen, die Szepter – Herrschaftssymbole – halten. Die dem Gefäß-›Fuß‹ zugewandten Hände der ›Lebens‹-Hieroglyphen halten außerdem noch Papyrusblüten. Am Hals der Vase ein geschnitztes Relief: der Kopf der Göttin Hathor. Die Göttin trägt einen breiten Perlenkragen sowie ein Gehänge aus Blauem Lotos, Lotosknospen und einer Alraunenfrucht (Mandragorafrucht). Am eigentlichen Gefäßkörper erkennt man unter einer Girlande (oder vielmehr einem Band) aus Lotos-Blütenblättern und zwei leichten, einer Menschenbrust ähnlichen Ausbuchtungen ein ›Feld‹ mit Tutanchamuns Namenskartuschen. Die Gefäßhenkel links sind wie Lilienstengel und rechts wie Papyrusblüten (die Symbole Ober- und Unterägyptens) geformt. Flankiert werden sie von vielfach gekerbten Palmrippen (dem Hieroglyphenzeichen für ›Jahre‹), unter denen noch die Zeichen für ›100 000‹ (= Kaulquappen) und ›Unendlichkeit‹ (= Seilring) sichtbar sind.

Die Größenverhältnisse dieses solide gearbeiteten kleinen Stuhles (er ist nur knapp 37 cm breit) lassen keinen Zweifel: Das Möbelstück war für ein Kind bestimmt – gewiß für den jungen Tutanchaton (wie Tutanchamun als Kind hieß). Nach Carter handelt es sich bei dem Holz um Ebenholz, ein hochgeschätztes Material, das aus Afrika importiert wurde. Es ist mit Elfenbein ausgelegt und an den Fugen mit breitköpfigen Kupfer- oder Bronzestiften zusammengenagelt. Die Stuhlbeine haben Löwenfüße mit Elfenbeinkrallen und stehen auf kleinen, mit Metall umkleideten, wulstartig gegliederten Trommeln.

Im Gegensatz zur rein abstrakt-ornamentalen, geometrischen Dekoration der Rückenlehne schmücken naturalistisch-gegenständliche Darstellungen die Seitenlehnen. Umgeben von einem Rahmen mit einem besonders kunstvollen, spiralartigen Mäandermuster (einem sogenannten ›Laufenden Hund‹), erblickt man auf diesem goldüberzogenen Seitenfeld einen ruhenden Steinbock – ein Wüstentier, da ist es nur angemessen, daß der vignettenartige Zweig einer Wüstenpflanze den Raum über seinem Rücken füllt.

Tutanchamuns Grab war zu klein, um das Inventar richtig aufzustellen. Zum großen Teil aber rührte das Durcheinander von den antiken Grabräubern her, die trotz der Wachen in die Grabkammern eingedrungen waren. Auf dem nebenstehenden Bild der knapp 8 m langen und 3,66 m breiten Vorkammer erblickt man unter anderem zwei umgestürzte Wagen. Fahrzeuge wie diese waren zu groß, man konnte sie nur zerlegt in die Kammer bringen. Außerdem sehen wir ein Bettgestell mit Nilpferdköpfen und die bereits erwähnte Bahre mit den Kuhköpfen. Unter dem ›Nilpferd-Bett‹: ein goldener Thron. In der Bildecke vorn rechts sehen wir einen Stapel hölzerner Nahrungsmittelbehälter. Tintenaufschriften geben an, für welchen Inhalt der jeweilige Behälter bestimmt war, doch was wirklich darin war, entsprach nur selten dem Etikett. Immerhin enthielten Behälter mit gleicher Aufschrift meist den gleichen – wenn auch falschen – Inhalt!

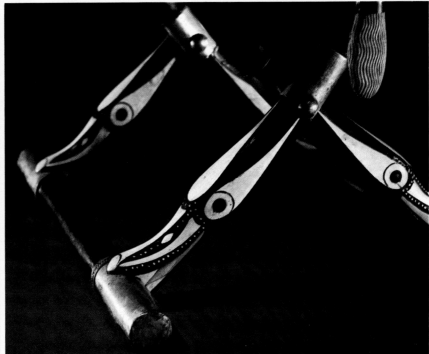

Auf dem Bild zuvor steht dieser Schemel zwischen den beiden Tierkopf-Betten auf dem Vorkammerboden. Sein Sitz besteht aus mit elfenbeinernen Plättchen und Rosetten eingelegtem Ebenholz und ahmt in seiner Musterung ein Leopardenfell nach, nur daß infolge der natürlichen Materialtöne hier der Untergrund dunkel und die Zeichnung hell ist. An den vier Ecken gab es seitlich abstehende Darstellungen von Leopardenklauen, die aber offensichtlich von den Räubern abgerissen wurden – wohl weil ihre Krallen aus Gold waren. Den gekreuzten Schemelbeinen gab man die Form von Gänsehälsen und Gänseköpfen, deren Schnäbel den unteren Querstab halten. Füße dieser Art waren an altägyptischen Klappstühlen sehr verbreitet. Bei dem abgebildeten Modell aber besteht der Sitz nicht aus flexiblem, sondern aus festem Material. Er ist auch mit den Beinen fest verbunden, so daß der Schemel nicht einklappbar ist. Beine und untere Querstäbe haben Goldblechüberzüge mit fein ziselierten Rändern, und goldene Köpfe zieren auch die Nägel an den Kreuzungsstellen der Beine. Die Quaste des ›Leopardenschwanzes‹ – er ist unverhältnismäßig kurz – besitzt eine Elfenbeinauflage mit einziselierten ›Haaren‹. In Ägypten waren Leoparden zu Tutanchamuns Zeit ausgestorben, doch kamen sie massenhaft in Nubien vor.

Nichts regte nach der Entdeckung des Grabes die Phantasie der Öffentlichkeit mehr an als der goldene Thron des jungen Herrschers. Hatte dieses Prachtmöbel doch mit Staatsaktionen zu tun, deren Pomp alles übertroffen haben muß, was in dieser Hinsicht je im Altertum inszeniert wurde. Und das genügte, um diesen Thron mit einer Aura von Romantik zu umgeben. Dennoch bestand sein Hauptschmuck aus der Darstellung einer eher als ›intim‹ zu bezeichnenden Szene – oder, besser gesagt, einer wohl durchaus offiziellen, zeremoniösen Szene der Salbung des Königs durch die Königin, die aber durch die Art der Wiedergabe etwas von der Zuwendung zweier Liebespartner und damit etwas Persönliches, Privates, Intimes erhielt, so daß mancher sie vielleicht als ungeeignet empfinden könnte, ein derartiges, von der Numinosität des Königtums umwittertes Staats- und Prunkmöbel zu schmücken. Erwartete man doch wohl gerade von diesem Thron – mehr als von jedem anderen Möbelstück im königlichen Palast –, daß er all dem entsprach, was Konvention vorschrieb und Tradition erforderte! Ganz sicher wird er diesen Anforderungen auch in fast jeder Hinsicht gerecht – dennoch: die Zeit des ›Ketzerpharao‹ und Sonnenverehrers Echnaton, die Amarnazeit mit den von Echnaton eingeführten revolutionären Neuerungen auf den Gebieten der Kunst und der Religion, sie gehörte noch nicht lange genug der Vergangenheit an, sie war noch zu lebendig, als Tutanchamun die Thronfolge antrat. Man hatte sie nicht vergessen und konnte sich nicht einfach aus dem lösen, was sie Neues gebracht hatte. Die Szene ist in ihrer Art der Darstellung daher fraglos als Reminiszenz an die unmittelbare Vergangenheit anzusehen.

Der Thron besteht aus mit Goldblech überzogenem Holz. Seine Löwentatzenfüße stehen auf in mehrere Wülste unterteilten Trommeln mit Kupfer- bzw. Bronzeüberzügen. Am vorderen Sitzrand erblickt man zwei Löwenköpfe – Symbole des östlichen und westlichen Horizonts, über den, so glaubte man, je ein Löwe Wache hielt. Den Zwischenraum zwischen der Sitzfläche und den Querhölzern (zwischen den Thron-Beinen) nahm einst heraldischer Zierat ein: miteinander verknotete Papyrus- und Lotosstengel, die zusammen die Hieroglyphe für ›Einigung‹ ergaben und somit die Einigung Ober- und Unterägyptens unter einem Herrscher symbolisierten. Geflügelte Kobras mit Doppelkronen, die Flügel schützend um die Königsnamen gebreitet, bilden die Seitenlehnen dieses kostbaren Thrones.

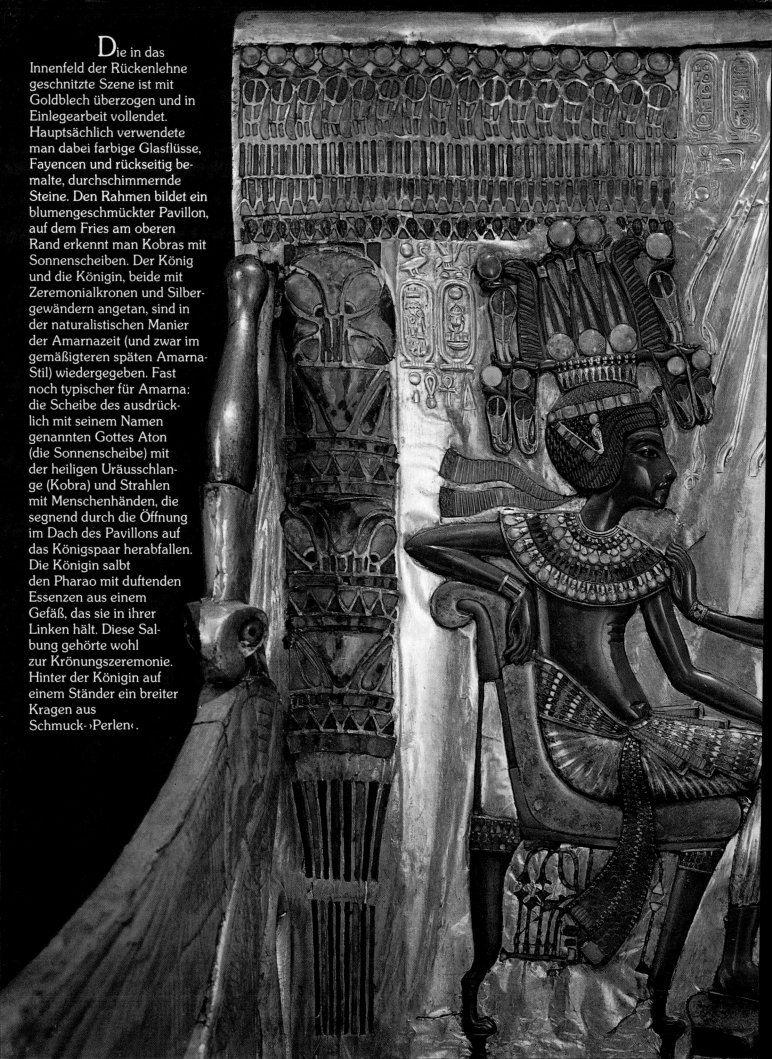

Die in das Innenfeld der Rückenlehne geschnitzte Szene ist mit Goldblech überzogen und in Einlegearbeit vollendet. Hauptsächlich verwendete man dabei farbige Glasflüsse, Fayencen und rückseitig bemalte, durchschimmernde Steine. Den Rahmen bildet ein blumengeschmückter Pavillon, auf dem Fries am oberen Rand erkennt man Kobras mit Sonnenscheiben. Der König und die Königin, beide mit Zeremonialkronen und Silbergewändern angetan, sind in der naturalistischen Manier der Amarnazeit (und zwar im gemäßigteren späten Amarna-Stil) wiedergegeben. Fast noch typischer für Amarna: die Scheibe des ausdrücklich mit seinem Namen genannten Gottes Aton (die Sonnenscheibe) mit der heiligen Uräusschlange (Kobra) und Strahlen mit Menschenhänden, die segnend durch die Öffnung im Dach des Pavillons auf das Königspaar herabfallen. Die Königin salbt den Pharao mit duftenden Essenzen aus einem Gefäß, das sie in ihrer Linken hält. Diese Salbung gehörte wohl zur Krönungszeremonie. Hinter der Königin auf einem Ständer ein breiter Kragen aus Schmuck-›Perlen‹.

Dieser außerordentlich elegante
Stuhl besteht vermutlich aus jenem Holz, das
man als ›Libanonzeder‹ zu bezeichnen pflegte,
obwohl es sich um kilikische Tanne handelte. In
der Gestaltung seiner unteren Partien erinnert
er stark an Tutanchamuns goldenen Thron.
Seine Beschädigung durch die Grabräuber
ähnelt der des Throns. Auch hier wurde zwischen
Sitz und Querholz der gesamte heraldische
Dekor herausgebrochen, der ›Einigung‹
– nämlich die Einigung Ober- und Unterägyptens – symbolisierte, und zwar abermals mit
Ausnahme des einen Hieroglyphenzeichens für
›Einigung‹ genau in der Mitte jeder Stuhlseite.
Die Rückenlehne weist eine wunderschöne
Schnitzerei auf: Man erblickt Hech, den Gott der
Ewigkeit, an dessen rechtem Arm ein ›Lebens‹-
Zeichen hängt. In jeder Hand hält der Gott eine
vielfach gekerbte Palmrippe (das Hieroglyphen-
zeichen für ›Jahr‹), die unten aus dem Zeichen
für ›100 000‹ über einem Seilring (= Zeichen
für ›Unendlichkeit‹) hervorgeht. Oben um-
schlingen die Palmrippen jeweils ein Stück weit
eine Sonnenscheibe. Neben einer weiteren
Sonnenscheibe in der Mitte erheben sich Kobras.
Die herabhängenden Banner enthalten den
›Horusnamen‹ des Königs, die Inschriften ringsum feiern den göttlichen Ursprung des Königs.

Ursprünglich war das Grab wohl nicht für einen König bestimmt gewesen. Der Raum war viel zu beengt, um in den Kammern selbst sämtliche Funde untersuchen zu können, abgesehen davon, daß sie in situ (in ihrer ursprünglichen Position) photographiert wurden. Dies geschah vor allem, um wenigstens im Bild festzuhalten, was einen Transport nicht zu überstehen, sondern bei der Berührung zu zerfallen drohte. Selbstverständlich mußten bei den zur Überführung bestimmten Objekten schon in der jeweiligen Grabkammer erste Vorkehrungen für den Transport getroffen werden. Zur weiteren Bearbeitung der Funde hatten die Ausgräber am Ende des Tales im Grab Sethos' II. ein Feldlabor eingerichtet.

War ein Fundobjekt hinreichend zur Überführung vorbereitet, begann es auf einer hölzernen Trage oder Kiepe – von Carter persönlich begleitet und von Soldaten bewacht – seine Reise ins Expeditionslabor. Touristen warteten manchmal stundenlang, um sich eine solche Prozession nicht entgehen zu lassen. Und wann immer es möglich war, wurden die Gegenstände unverhüllt überführt, so daß die Schaulustigen auf ihre Kosten kamen. Auf unserem Bild befindet sich die rechts wiedergegebene lebensgroße Porträtbüste Tutanchamuns gerade auf dem Weg ins Labor.

116

Etwa drei Jahrhunderte vor Tutanchamuns Regierungszeit wurde aus Vorderasien der Streitwagen in Ägypten eingeführt. In der Nähe des Vorkammer-Eingangs lagen die Teile von vier zerlegten Wagen, zwei davon bezeichnete Carter als ›Gebrauchs-‹ und zwei als ›Prunkwagen‹. Bei den beiden Prunkwagen bestand der Wagenkörper aus gebogenen Holzplatten mit dünnem Goldüberzug auf Gessogrund (unter gesso – italienisch = ›Gips‹, ›Kreide‹ – versteht man einen stuckähnlichen, weißen, kalkigen Gips-Leimgrund, mit dem man insbesondere Holz vor dem Auftragen von Farben oder vor dem Vergolden zu überziehen pflegte). Bei dem einen dieser beiden Prunkwagen (links oben) besteht der in erhabener Arbeit und Einlegetechnik ausgeführte Zierat aus margeritenförmigen Rosetten, Spiralmustern (genaugenommen handelt es sich um spiralförmige Mäander des Typs ›Laufender Hund‹), ›Federn‹, ›Schuppen‹ und dergleichen. Ein Medaillon – ziemlich weit unten im Bild – enthält das ›Auge des Rê‹ und eine heilige Uräusschlange mit der Sonnenscheibe.

Auf der Innenseite des anderen Wagens ist Tutanchamun als Sphinx dargestellt. Beschützt vom Geier der Göttin Nechbet, zertritt er machtlose, gefangene Feinde Ägyptens aus Schwarzafrika und Asien. In diesem Fall besteht das Medaillon aus einem von konzentrischen Kreisen aus Silber und farbigen Glasflüssen umgebenen goldenen Buckel.

Die durchbrochene Schnalle aus Gold (rechts) zeigt Tutanchamun in einem von reich aufgezäumten Pferden gezogenen Wagen. Sein Jagdhund begleitet ihn und treibt zwei Gefangene – einen Neger und einen Asiaten – vor sich her. Gefesselte Feinde Ägyptens erblickt man auch unterhalb dieser Szene in dem heraldischen Feld, das die Einigung Ober- und Unterägyptens symbolisiert. Über und hinter dem König seine Beschützer: der Geier Oberägyptens und die geflügelte Uräusschlange Unterägyptens.

Auf einem Gestell aus
Holzstäben vor dem Ruhebett (bzw.
der ›Liege‹ oder – wie Carter sich
ausdrückte – ›Bahre‹) mit den
Nilpferdköpfen stand ein langer
Kasten aus weißbemaltem
Holz und Ebenholz. Er enthielt
Kleidungsstücke, Bogen, Pfeile
und Stöcke. Die hier abgebildete
›Krücke‹ eines dieser Stöcke
schmücken zwei sehr

realistische Darstellungen ge-
fesselter Gefangener – eines
Negers und eines Asiaten –,
deren unbedeckte Körperpartien
(Gesichter, Hände und Füße) aus
Ebenholz bzw. aus Elfenbein
geschnitzt sind. Welchem Zweck
dieser Stock diente, ist unbekannt, doch seinem Aus-
sehen nach besaß er wohl
kultische Funktion.

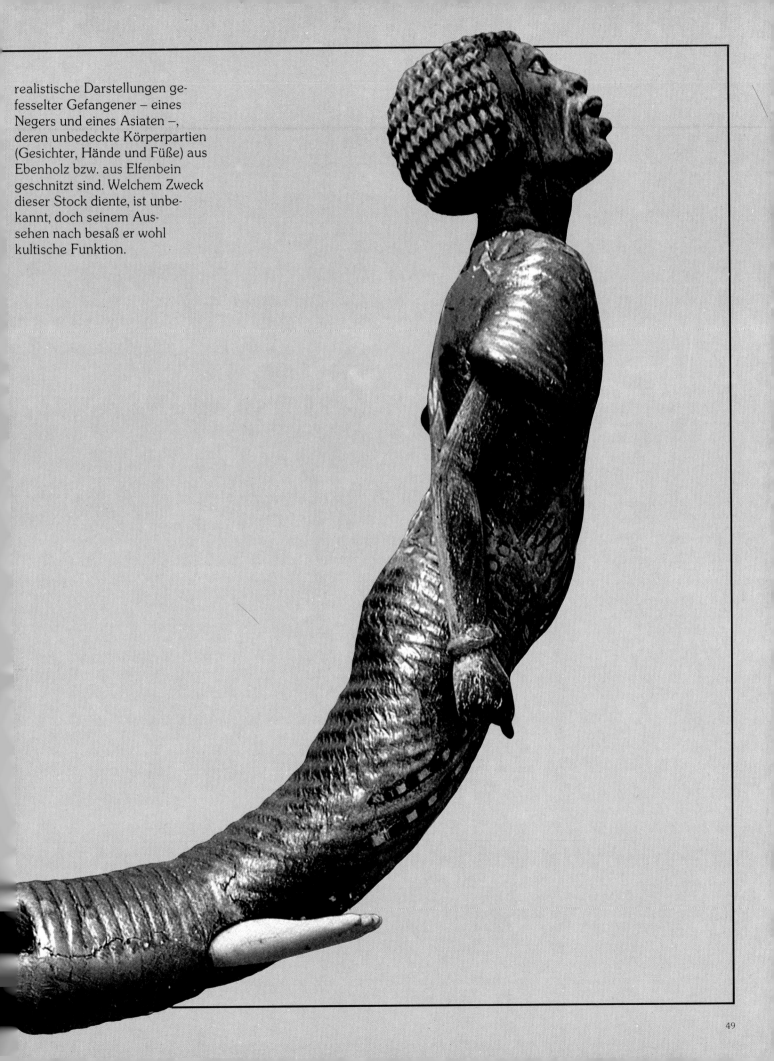

Die hölzernen, mit Gold überzogenen Seitenteile dieses Ruhebettes bestehen aus Elementen dreier Tierarten: Nilpferd (die Köpfe), Krokodil (die langgestreckten Leiber) und Löwe (die Beine und Füße). Eine Inschrift auf dem Rahmen der Liegefläche bezeichnet Tutanchamun als »geliebt von Ammut«, woraus wir wohl folgern dürfen: Diese ›Bahre‹ oder ›Liege‹ hatte in irgendeiner Form mit Am-mut zu tun.

Am-mut (der Name bedeutet: ›Verschlingerin der Toten‹, ›Totenverzehrerin‹) stellte man sich als Mischwesen vor, und ein solches Mischwesen ist tatsächlich im ›Totenbuch‹ abgebildet. Es hatte diejenigen zu fressen, die infolge ihrer Verfehlungen nach dem Tode nicht in Osiris' Reich eingehen konnten, und setzte sich aus Bestandteilen eben jener Tiere zusammen, aus denen auch die Seitenteile des abgebildeten Bettgestells bestehen, nur war die Zusammensetzung insofern anders, als man sich Am-mut mit Krokodilskopf, Löwen-Vorderleib und Nilpferd-Hinterteil dachte. Daß man diese Zusammensetzung bei der Liegestatt änderte, mag rein praktische Gründe gehabt haben. Eigneten sich doch ein langgestreckter Krokodilsleib und Löwenbeine besser für ein hochbeiniges Bettgestell als ein gedrungener Nilpferdkörper mit entsprechend kurzen Flußpferdbeinen. Dennoch bleibt es rätselhaft, warum ausgerechnet ein Wesen mit so wenig gewinnenden Zügen bei der Formgebung dieses Bettes Pate stand!

Aus Holz gefertigt und mit Blattgold auf Gipsgrund überzogen, erhebt sich dieser kleine Schrein auf einem mit Silber belegten Schlitten. Baugeschichtlich gesehen handelt es sich um ein Modell des ›Oberägyptischen Reichsheiligtums‹. In den goldenen Angeln ruhen die Silberstifte, mit denen die beiden Torflügel befestigt sind. Der Schrein enthielt dreierlei: einen vergoldeten Statuettenuntersatz mit hohem Rückenteil (die Statuette bestand wohl aus Gold und wurde daher gestohlen), Teile eines Prunkmieders sowie eine Halskette aus Steinen und Glasperlen mit einem Anhänger in Gestalt einer Schlangengöttin, die Tutanchamun die Brust gibt. Szenen an den Außenwänden des Schreins zeigen den König und die Königin im beschwingten Amarna-Stil bei verschiedenen zeremoniellen oder auch nicht zeremoniellen Handlungen.

Der König sitzt auf einem mit Leopardenfell und Kissen bedeckten Klappstuhl und gießt (wohlriechendes) Wasser (oder Salböl) in die zu einer Schale geformte Hand der Königin, die sich auf einem Sitzpolster niedergelassen hat. Bei beiden Figuren ist die linke Hand wie eine rechte dargestellt, so daß der Daumen sichtbar wird.

Hier legt die Königin, deren linker Vorderarm zwar nicht voll zu sehen, aber doch unverhältnismäßig lang gedacht ist, einen Blumenkragen um den Hals des Königs. Sie trägt eine Krone aus Uräusschlangen mit Sonnenscheiben, darüber erkennt man einen Salbenkegel, flankiert von zwei größeren Kobras, die gleichfalls Sonnenscheiben tragen.

Etwas formeller geht es in der Szene links zu. Es dürfte sich um die Darstellung einer Episode des Krönungszeremoniells handeln. Der König sitzt auf einem mit Kissen bedeckten Stuhl und reicht ein Gefäß mit Blumen, in das die Königin Wasser gießt. Sie selbst

hält in der Linken einen Strauß aus Blauem Lotos, einer Lotosknospe und einer Mohnkapsel. Abgesehen von seinem Kragen und einem doppelreihigen Halsband trägt der König einen langen Anhänger um den Hals: zwei breite Bänder, daran Kartuschen mit seinem Thron-

namen (Nebcheperurê) und seinem persönlichen Namen (Tutanchamun). Im Innern des Schreins (obenstehend): das Statuettenfußgestell mit seinem hohen Rückenteil. Noch immer erkennt man an den Eindrücken, wo einst die Füße der Statuette standen.

Als Carter zehn Jahre nach seiner Entdeckung über die hier abgebildete ›Bahre‹ schrieb, äußerte er die Überzeugung, es müsse sich bei den Tieren, die in diesem Fall die Seiten des ›Bahren‹-Gestells bilden, um Geparden handeln und nicht, wie er zuerst angenommen hatte, um Löwen. Doch spricht vieles, was er offensichtlich übersah, eher für seine ursprüngliche Auffassung. Wie die beiden anderen Ruhebetten mit Seitenteilen in Tierform besteht auch dieses Möbelstück aus goldüberzogenem Holz und läßt sich in vier Einzelteile zerlegen: die beiden Seitenstücke, die Liegefläche und einen Holzrahmen mit Einlässen für Zapfen unter den Löwentatzen. Befestigt wurde die Liegefläche mit Haken und Ösen an den Seitenteilen. Eine Inschrift am Rahmen gibt Mehet-weret als die Göttin an, die angeblich von den beiden Löwen (oder vielmehr Löwinnen) dargestellt werden soll. Doch handelt es sich bei Mehet-weret um eine kuhgestaltige Gottheit. Allerdings erwähnt die Inschrift auf dem Bett mit den Kuhköpfen umgekehrt eine Löwengöttin, Isis-Mehet, und es liegt daher wohl auf der Hand, daß hier eine Vertauschung vorliegt bzw. daß die beiden Inschriften jeweils am falschen Bett angebracht wurden. Die tiergestaltigen Seitenteile der abgebildeten Liegestatt stellen wohl eher Isis-Mehet dar. Immerhin finden wir Betten von ähnlicher Form an Tempelwänden dargestellt, und dort stehen sie in Beziehung zur Geburt des Herrschers. Vielleicht läßt dies den Schluß zu, daß auch die abgebildete ›Bahre‹ mit Tutanchamuns Wiedergeburt nach dem Tode zu tun hatte. Hinten an der Wand in den Ecken des Raumes: die beiden Statuen beiderseits der zugemauerten, aber deutlich erkennbaren Tür zur Sargkammer – siehe Seiten 82 und 83.

Obwohl man die Tiere an den Seiten des Löwenkopf-Ruhebettes für männliche Exemplare hielt, entsprechen die Köpfe und insbesondere die Gesichtspartien dieser Tiere doch ganz und gar den sehr verbreiteten Darstellungen der Löwengöttin Sachmet. Beide Tierfiguren bestehen aus Holz mit einer dünnen ›Stuck‹-Schicht, die die Grundierung für den Goldüberzug bildet. Bei den Nasenspitzen und den blauen Linien unter den Augen handelt es sich um Einlegearbeiten (blaue Glasflüsse). Die Augen sind aufgemalt, ihre Ränder bestehen aus schwarzer Glaspaste.

Es dürfte schwerfallen, sich ein schlimmeres Durcheinander wertvollerer Kostbarkeiten vorzustellen, als dieses Bild zeigt! Dabei wäre der Eindruck der Unordnung noch wesentlich größer, wenn man in die einzelnen Kästen und Truhen hineinblicken und ihren Inhalt sehen könnte! Ganz oben steht ein Ruhelager aus Ebenholz mit einer geflochtenen Liegefläche, auf der Bogen, Pfeile und Stäbe lagen. Darunter erkennt man auf dem Löwenbett (bzw. der ›Bahre‹ mit den Löwenköpfen) einen Knäuel Leinen, eine hölzerne Truhe mit goldverzierten blauen Fayence-Wandfeldern, ein Kultgefäß aus Alabaster sowie eine Lampe aus Bronze und Gold, deren Docht – er besteht aus zusammengedrehtem Leinen – noch im Ölbehälter steckt. Auf dem Boden – von links nach rechts –: Tutanchamuns Kinderstuhl, von dem wir bereits eine Abbildung gebracht haben, zwei schwarze Holzschreine, die je eine Standarte mit einer goldenen Schlange (das Emblem eines Bezirks in Mittelägypten) enthielten, und eine tragbare Truhe, auf deren giebeldachähnlichem Deckel man eine Art Fußgestell erkennt. In der Lücke zwischen Truhe und Kammerwand befinden sich noch ein Fußschemel sowie Vasen aus blauer Fayence, davor liegt ein Sitzpolster seitlich auf dem Boden. Hinter dem Löwenbett (ganz links im Bild) erblickt man gerade noch ein Stück eines kleinen, hochbeinigen Kästchens. Es wurde ausgeraubt, nur ein einziges Armband aus Stein ließen die Räuber zurück.

Das hervorstechendste Merkmal dieser Truhe sind zwei ausziehbare Traggriffe unter dem Truhenboden. Die beiden Tragstangen laufen durch je zwei an Klötzchen unter den Bodenbrettern befestigte Bronzeringe. Ein größerer Flansch am rückwärtigen Ende jeder Stange verhinderte das Herausrutschen dieser Traggriffe. Wenn man die Truhe abstellte, konnten diese Griffe so weit zurückgeschoben werden, daß man sie nicht mehr sah.

Sowohl der giebeldachförmige Deckel als auch der Truhenkasten selbst haben Ebenholzrahmen und von Elfenbein- und Ebenholzstreifen umgebene Felder aus einer roten Holzart (vermutlich Zeder). Die Füße tragen Bronzekappen und sind durch Verstrebungen verstärkt, die die rechten Winkel zwischen Beinen und Truhenunterkanten in Bögen umsetzen. Auf dem Deckel sowie an der darunterliegenden Stirnwand des Kastens befinden sich pilzförmige Knäufe, um die beim Transport ein Strick gewunden wurde, dessen Knoten man versiegelte.

Unter dem unteren Griff erkennt man die in Flachrelief ausgeführte Darstellung des Königs, der dem Gott Osiris-Wennefer eine Lampe und ein Gefäß mit wohlriechenden Essenzen darbringt. Auf dem Ständer zwischen dem König und dem Gott: ein Gefäß mit einem Schnabel in Form einer winzigen Straußenfeder – das Hieroglyphenzeichen für ›Wahrheit‹, ›Gerechtigkeit‹, ›rechte Ordnung‹.

Die Amtstracht mancher altägyptischer Priesterklassen bestand aus Leopardenfell. Die Hohenpriester von On (Heliopolis) trugen diesen Ornat überdies mit goldenen, fünfzackigen Sternen verziert, weil zu ihren Obliegenheiten ohne Zweifel die Beobachtung der Sterne gehörte.

Tutanchamun, der theoretisch Hoherpriester jeder Gottheit war, erhielt zwei Leoparden-Priestergewänder mit ins Grab: ein echtes Leopardenfell und eine Imitation. Beide waren mit goldenen Sternen geschmückt, und zu beiden gehörten aus Holz gearbeitete Leopardenköpfe. Der hier abgebildete Kopf

wurde zusammen mit dem echten Leopardenfell getragen. Er ist mit Gold überzogen und besitzt Einlagen aus farbigem Glasfluß. Die Augen hat man auf die Rückseite durchsichtiger Quarzblättchen gemalt. Man fand diese Arbeit in dem Kasten auf dem Bett mit den Löwenköpfen.

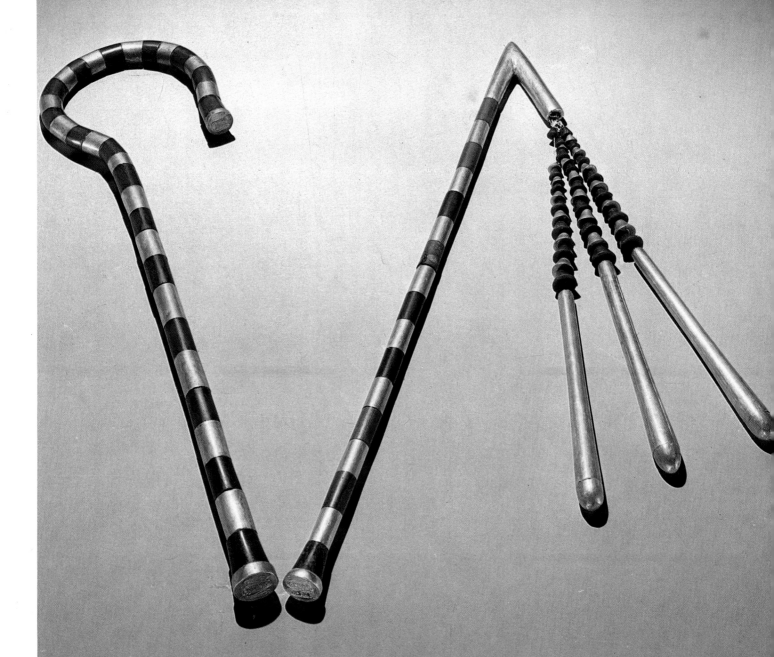

Krummstab (Szepter)
und Dreschflegel waren zwar
Embleme des Gottes Osiris, doch
bei gewissen Zeremonien gehörten
sie auch zum königlichen Ornat.
Der hier abgebildete Krummstab
kam in demselben Kasten wie der
Leopardenkopf zum Vorschein,
während sich der Dreschflegel in
einer Truhe der Schatzkammer
fand. Einer der Anlässe, bei denen
der König diese Insignien trug, war
die Krönung. Möglicherweise
benutzte Tutanchamun den Dreschflegel schon, als man ihn im Alter
von etwa neun Jahren in Amarna –
vor dem Ende des Sonnenglaubens
und der Rückkehr der Staatsgewalt
nach Theben – zum ersten Mal
feierlich krönte. Jedenfalls ist auf
der Goldkappe am Griff noch der
frühere Name des Königs, Tutanchaton, zu lesen, doch auch sein
Thronname, den er erst bei seiner
Thronbesteigung annahm, steht
bereits hier. Der Krummstab dagegen
trägt lediglich den Thronnamen.

Zu den seltsamsten Funden, die in demselben Kasten ans Licht kamen, der auch den zuvor abgebildeten Leopardenkopf und den Krummstab (das Szepter) enthielt, gehörte diese Schärpe aus Leinen. Bei ihrer Untersuchung stellte sich heraus, daß sie acht Fingerringe aus massivem Gold enthielt. Man hatte das Tuch so gefaltet und geknotet, daß es einen regelrechten Beutel bildete, in dem man die Ringe transportieren konnte. Kein Zweifel: Es müssen die Grabräuber gewesen sein, die einst das Stück Stoff so zusammenknoteten! Warum sie es aber schließlich doch im Grab zurückließen, ist und bleibt rätselhaft. Entweder vergaßen sie es einfach – oder sie wurden ertappt und fanden nicht mehr die Zeit, ihre gesamte Beute zusammenzuraffen. Es zeugt von der Ehrlichkeit der Friedhofsbeamten, daß sie der Versuchung widerstanden, Tuch und Ringe mitgehen zu lassen, als sie die angerichteten Schäden ausbesserten!

Zwei stilisierte Blumensträuße (sie wurden eingeritzt und teilweise auch aufgemalt) zeigt der Deckel dieses Alabasterkästchens. Zwischen den Sträußen entdeckt man eine Schriftkolumne mit Namen und Titeln des Königs. Beide Sträuße enthalten je eine Papyrusblüte zwischen Klatschmohnstengeln mit Kapseln, Lotosblumenblätter, Mohnkapseln, Kornblumen und Alraunen-(Mandragora-)Blüten.

Die dunklen, griffartigen Knöpfe auf dem Deckel und an der Stirnwand des Kästchens bestehen aus vulkanischer Glaslava (Obsidian). Unter dem unteren Knauf erkennt man die Namen und Titel Tutanchamuns und seiner Gemahlin, der Königin Anchesenamun. Der Inhalt dieses unter dem Ruhebett mit den Löwenköpfen gefundenen Kästchens bestand aus einem Granatapfel, Tuchstücken, Tierhaaren und zwei in Leinen eingewickelten Haarballen. Sie dienten wohl irgendwelchen magischen Zwecken oder hatten symbolische Bedeutung im Zusammenhang mit irgendeinem Vertragsabschluß.

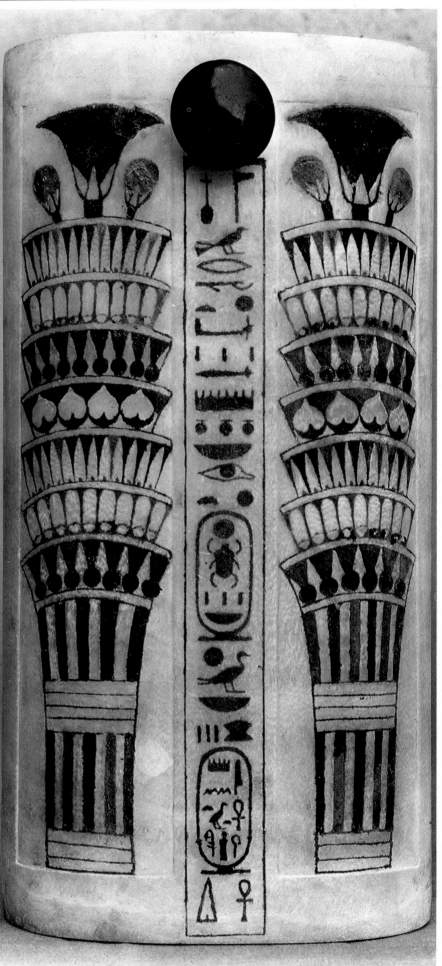

Die in einem hölzernen Kasten neben dem Ruhebett mit den Löwenköpfen gefundene Trompete besteht aus Bronze (bzw. Kupfer), ist aber teilweise mit Gold überzogen. Auf dem Trichter erblickt man Tutanchamun, der von den Göttern Amun, Rê-Harachte (links) und Ptah (rechts) Leben empfängt (die Götter halten ihm das Hieroglyphenzeichen für ›Leben‹ an die Nase). Die trichter- oder vielmehr kegelförmige Erweiterung des hölzernen Trompetenstopfers ist als geöffnete Lotosblüte bemalt. Dieser Stopfer diente wohl kaum als Klangdämpfer, vielmehr verwendete man ihn entweder – mit Tuch umwickelt – zur Reinigung des Instrumentes oder man führte ihn ohne Tuch in die Trompete ein, damit diese nicht ihre Form verlor. Altägyptische Trompeten besaßen weder Ventile noch Kesselmundstücke und wurden hauptsächlich bei kriegerischen Anlässen geblasen. Es sind die einzigen Instrumente des Altertums, deren originaler Klang auch in der Neuzeit reproduziert werden kann.

Auf diesem Photo der Vorkammer-Nordostecke erblickt man – von links nach rechts – eine Alabastervase, Tutanchamuns berühmte bemalte Truhe, eine der hölzernen Statuen des Königs, zwei Totensträuße aus Blättern, einen Binsenkorbdeckel sowie ein Bündel aus Schilfrohren und Papyrusgeflecht, eine weitere Alabastervase und ein Tongefäß unter Rohrwerk- und anderen Fragmenten. Obwohl die bemalte Truhe eigentlich nur die ›Schuhschachtel‹ (oder vielmehr das ›Schuhschränkchen‹) für die Sandalen des Königs war, enthielt sie doch an die fünfzig und mehr Gegenstände, darunter auch mehrere Sandalen. Allerdings überwogen Objekte, die nicht zum Schuhwerk, sondern zur Körperbekleidung zu rechnen sind, wie Roben, Schals, Kragen und ein nachgeahmtes Leopardenfell. Die Beamten der Königsnekropole stopften all diese Kleidungsstücke in die Truhe hinein, ohne sich viel darum zu kümmern, ob die Stücke ordentlich lagen und zueinander paßten. Carter berichtet, er habe nicht weniger als drei Wochen gebraucht, um diese Truhe mit der gebotenen Sorgsamkeit auszuräumen.

Kunstwerke von hohem Rang schmücken die mit gesso (bzw.
›Stuck‹) grundierten Wand- und Deckelfelder dieser Holztruhe. Im großen
ganzen halten sich die Malereien, die wohl Tutanchamuns Hofmaler schuf, an
die Traditionen altägyptischer Kunst. Von den heraldischen Darstellungen
an den Stirnfeldern der Truhe abgesehen, zeigen sämtliche Szenen den König
in seinem Streitwagen, den zwei reich aufgezäumte, sich kraftvoll aufbäumende
Streitrosse ziehen. Auf dem Kastendeckel werden Wüstentiere gejagt: Löwen

und Löwinnen, Wildesel, Strauße, eine Hyäne und Antilopen. Auf den Wand-
feldern dagegen verfolgt der König fliehende Nubier und Asiaten – Feinde
Ägyptens, die er schließlich, als Sphinx dargestellt, auf den Bildern der
Schmalseiten des Kastens mit seinen Füßen zerstampft. Mit unnachahmlicher
Meisterschaft wußte der Künstler die Todesangst der menschlichen und
tierischen ›Jagdbeute‹ des Pharao zum Ausdruck zu bringen. wie überhaupt
die Naturtreue gerade der Details dieser Malereien rühmenswert ist.

Beiderseits der zugemauerten Sargkammertür standen »wie Schildwachen« (Carter) zwei lebensgroße Standbilder des Königs. Sie sind aus mit schwarzem Harz gefirnißtem Holz, doch Kopfputz, Schmuck, Schurz und Sandalen sind golden (bzw. vergoldet). In der rechten Hand trägt jede dieser Statuen eine goldüberzogene Keule, die linke Hand dagegen ruht in beiden Fällen auf einer papyrusblütenartigen Erweiterung eines langen Stabes. Schwarz war Ägyptens fruchtbare Erde, schwarz galt daher als magische Farbe, die Wiedergeburt symbolisierte. Die schwarzen Körperpartien dieser Standbilder bedeuteten daher wohl ›Leben‹ bzw. ›Wiederbelebung‹.

Auf gleiche Weise wie die Türen des Ganges zur Vorkammer war die Tür zur Sargkammer vermauert. Auch hier deckte Mörtelbewurf das Mauerwerk, und die Putzschicht trug Siegel – in diesem Fall die Siegel Tutanchamuns. Nur ganz unten am Boden fanden sich abermals die Siegel der Nekropolenverwaltung: Also waren hier einst Grabräuber eingedrungen! Die wieder zugemauerte Öffnung war groß genug, um einen schlanken Mann oder einen Knaben durchzulassen. Auf unseren Bildern liegen vor der wieder instandgesetzten Mauerpartie ein von Carter aufgestellter Korbdeckel und Binsen. Beiderseits der Tür und dieser leicht zugewandt die beiden schwarzgoldenen, lebensgroßen Standbilder des Königs.

Drei Monate, nachdem er erstmals das »glänzende, schimmernde Gold« in der Vorkammer erblickt hatte, war Carter soweit, daß er auch »in die innere versiegelte Tür eindringen und ihr Geheimnis enthüllen« konnte. Am Freitag, dem 17. Februar 1923, schlug er – Lord Carnarvon, dessen Tochter Lady Evelyn Herbert und zwanzig weitere Personen waren Zeuge – den Putz vom Mauerwerk und begann, oben die kleinen Steine herauszuhacken, die die Tür blockierten. Nach etwa zehn Minuten war das Loch groß genug, so daß er einen ersten Blick hindurchwerfen konnte. Beim Licht einer elektrischen Lampe sah er keinen Meter vor sich »eine anscheinend goldene Wand«. Mit Hilfe seines Assistenten Arthur Mace vom Metropolitan Museum (auf dem Bild hinter dem Korb) gelang es ihm, Stein für Stein einzeln zu entfernen. Bald stellte sich heraus, woraus die »goldene Wand« bestand: Es handelte sich um die Seitenwand eines großen, vergoldeten Totenschreines, der Carter Gewißheit gab, darin den Sarkophag und wahrscheinlich auch die Mumie Tutanchamuns zu finden. Allerdings waren die Grabräuber vor ihm dagewesen, und es mußte sich erst noch zeigen, was sie übriggelassen hatten!

DIE SARGKAMMER

Der 5,18 m lange, 3,35 m breite und 2,74 m hohe Schrein paßte so knapp in die Sargkammer, daß an den Rändern nur 60 cm Zwischenraum blieb und der Schreindeckel beinahe an die Kammerdecke stieß. Es handelte sich um den äußersten von insgesamt vier Schreinen ohne Boden, die regelrecht ›übereinandergestülpt‹ waren und jeweils am selben Ende zweiflügelige Türen besaßen. Sie waren einst innerhalb der Kammer aus insgesamt achtzig Einzelteilen zusammengesetzt worden. Das Material: fast 6 cm dicke Bretter mit einem Gips-Überzug, der den Grund abgab, auf dem die Vergoldung haftete. An manchen Stellen hatte sich die Gipsschicht vom Holz gelöst, weil dieses in der Luft, die im Grabe herrschte, ausgetrocknet und infolgedessen geschrumpft war. Ohne Zweifel müssen die Schreine hier montiert worden sein, bevor es die Trennmauer zwischen beiden Kammern gab; also konnten sie auch nicht auseinandergenommen werden, solange diese Mauer noch stand. Der Platz war viel zu knapp, um Werkzeuge zum Anheben der einzelnen Teilstücke einzusetzen, doch mit Geduld und ein wenig Erfindungsgabe gelang es, die Probleme in 84 Tagen zu meistern.

Auf dem Kammer-
boden vor den Schreintüren stand
diese aus einem einzigen, durch-
schimmernden Alabasterstück
gearbeitete, dreiteilige Lampe. Sie
stellt eine Lotospflanze in einem
Teich dar. Alle drei Stiele gehen
aus demselben runden Fuß hervor,
und jeder Stiel trägt eine Blüte:
der mittlere Stiel eine ganz offene,
die seitlichen Stiele halbgeöffnete.
Unter den seitlichen Blütenkelchen
scheinen Lotosblätter auf einer
imaginären Wasserfläche zu schwim-
men. Die ›Blütenkelche‹ füllte man
mit Pflanzenöl für die aus Flachsfasern
zusammengedrehten Dochte, die entweder im Öl schwammen oder an
Haltern befestigt waren. Um die
Rauchentwicklung zu verringern,
setzte man dem Öl wohl auch Salz zu.

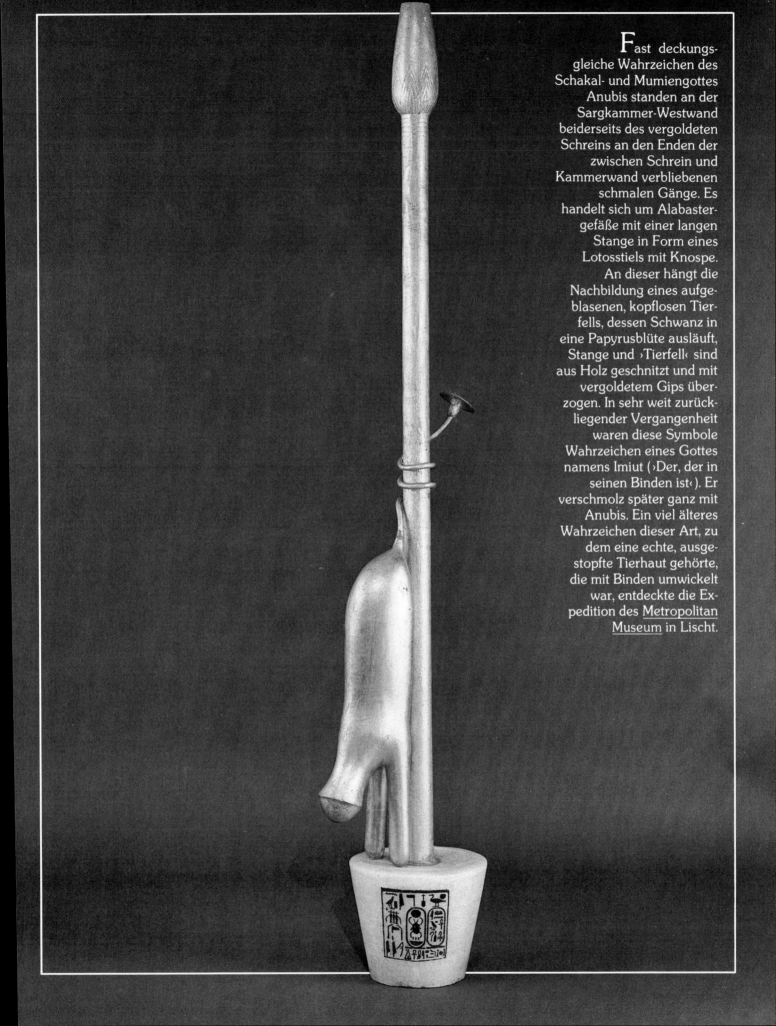

Fast deckungsgleiche Wahrzeichen des Schakal- und Mumiengottes Anubis standen an der Sargkammer-Westwand beiderseits des vergoldeten Schreins an den Enden der zwischen Schrein und Kammerwand verbliebenen schmalen Gänge. Es handelt sich um Alabastergefäße mit einer langen Stange in Form eines Lotosstiels mit Knospe. An dieser hängt die Nachbildung eines aufgeblasenen, kopflosen Tierfells, dessen Schwanz in eine Papyrusblüte ausläuft. Stange und ›Tierfell‹ sind aus Holz geschnitzt und mit vergoldetem Gips überzogen. In sehr weit zurückliegender Vergangenheit waren diese Symbole Wahrzeichen eines Gottes namens Imiut (›Der, der in seinen Binden ist‹). Er verschmolz später ganz mit Anubis. Ein viel älteres Wahrzeichen dieser Art, zu dem eine echte, ausgestopfte Tierhaut gehörte, die mit Binden umwickelt war, entdeckte die Expedition des Metropolitan Museum in Lischt.

Einzigartig ist die Verzierung dieser Alabasterlampe, die in dem schmalen Gang zwischen Tutanchamuns vergoldetem Totenschrein und der Grabkammer-Trennwand gefunden wurde. Die wie ein Abendmahlskelch geformte Lampenschale flankieren in durchbrochener Arbeit ausgeführte Darstellungen des Gottes der Ewigkeit (Hech), der in hockender Stellung oberhalb von Papyrusdickichten abgebildet ist und Symbole ewigen Lebens mit den Namen des Königs in Berührung bringt. In die Lampenschale ist eine zweite, innere, dünne Alabasterschale eingepaßt, deren Außenwand mit Bildern des Königs und der Königin sowie mit einem Schriftband zwischen Blumengirlanden bemalt ist. Entzündete man den auf dem Öl in der Lampe schwimmenden Docht, leuchteten – wie auf dem Bild – diese Malereien durch die äußere Lampenschale hindurch. Ansonsten aber waren sie unsichtbar.

Die Aufnahme rechts zeigt den schmalen Gang zwischen dem vergoldeten Schrein und der Nordwand der Sargkammer. Auf dem Boden liegen fünf Ruder und ebensoviele Schiffssteuer, die dem toten König das Befahren der Unterwelt-Gewässer ermöglichen sollten. Ganz am Gangende das bereits abgebildete Anubis-Wahrzeichen.

Als Carter die vier Schreine auseinandergenommen hatte, waren für ihn die Schwierigkeiten noch lange nicht vorüber. Vielmehr galt es nun, die Einzelteile der zerlegten Schreine für erste Konservierungsarbeiten in das Feldlaboratorium zu bringen und dann für den Transport nach Kairo zu verpacken. Zusammen mit anderen Funden verlud man sie schließlich auf Loren, und in diesen Loren legten sie (auf Feldbahnschienen, die während der Fahrt immer wieder am Streckenende neu verlegt und ›angestückelt‹ werden mußten, weil man nicht genügend Schienenmaterial für die gesamte Strecke zur Verfügung hatte) die mehr als 8 km bis zum Nilufer zurück. Dort nahm sie ein Dampfschiff in Empfang, das sie in das mehr als 600 km flußabwärts gelegene Kairo brachte. Die Aufnahme zeigt den äußersten Schrein nach seiner Wieder-Zusammensetzung im Ägyptischen Museum in Kairo. Die Außenwände sind – vor einem Hintergrund aus leuchtend blauen Fayence-Einlagen – mit paarweise sich ablösenden Darstellungen des (mit Osiris in Zusammenhang stehenden) djed-Pfeilersymbols und des tjt-Gürtelknotenzeichens (der Göttin Isis) geschmückt. Auf dem Türfeld: ein enthauptetes Tier mit verstümmelten Pfoten – ein vernichteter Feind des Osiris! Die Innenseiten waren mit religiösen Texten (hauptsächlich aus dem Totenbuch), Götterfiguren und religiösen Symbolen bedeckt.

Unter dem ›Dach‹ des ersten, äußersten
Schreines lag, auf Holzstützen ausgebreitet, ein mit vergoldeten, margeritenförmigen Bronzerosetten geschmücktes,
leinenes Bahrtuch über dem zweiten Schrein. Schon morsch
geworden und teilweise durch das Gewicht der aufgenähten
Metallplättchen zerrissen (an den vier Ecken auch durch sein
Eigengewicht), schien es sich anfangs gleichwohl noch
restaurieren zu lassen. Tatsächlich glückte es, das Gewebe so
widerstandsfähig zu machen, daß man es, auf eine Holzstange
gerollt, in das Feldlaboratorium der Expedition bringen
konnte. Dennoch zerfiel das Gewebe schließlich während
einer langen Auseinandersetzung Carters mit den Behörden,
als das Grab geschlossen und der Zugang zum Expeditionslabor verboten war. In der Regel sind Grabkammer- und
Gangwände der Königsgräber im ›Tal der Könige‹ mit Texten und Abbildungen aus religiösen Schriften bedeckt, die
von der Unterwelt handeln. In Tutanchamuns Grab tragen
lediglich die Wände der Sargkammer Malereien, und deren
Ausführung ist einfacher als anderswo. Vor allem fehlen die
üblichen Texte. Auf dem Bild oben erblickt man den König,
der im Tode mit Osiris einsgeworden ist, in der Gestalt
dieses Gottes, gleich dem er wieder vom Tode aufzuer-
stehen hoffte.

Links sieht man einen Teil des hölzernen Rahmenwerkes, über dem einst das Bahrtuch ausgebreitet war. Auf dem Boden in dem engen Zwischenraum zwischen den Wänden des ersten und des zweiten Schreins fand man neben anderen Gegenständen auch die oben abgebildete, zylindrische Salbbüchse aus teils durchscheinendem, teils undurchsichtigem Alabaster, auf deren Deckel ein geschnitzter Löwe ruht. Die gesamte Außenseite dieses Gefäßes schmücken Darstellungen meist miteinander kämpfender Tiere. An den Gefäß-Fußenden: Köpfe bärtiger Asiaten und gefangener Neger mit Ohrringen. Die Analyse ergab, daß diese Büchse einst Tierfett mit Harz bzw. Balsam enthielt.

Seit ältesten Zeiten
pflegte man Ägyptens Herrscher
gelegentlich als Löwen oder Sphinx
darzustellen. Auch dieser Löwe
(es handelt sich um das Tier auf
dem Deckel der zuvor abgebildeten
Salbbüchse), der den Namenszug
Tutanchamuns trägt, versinnbildlicht wohl keinen anderen als den
König selbst. In der Haltung des
Tieres – zur Seite gewandter Kopf,
übereinander gekreuzte Vorder-
pfoten und seitwärts nach vorn
geschlagener Schweif – läßt
sich eine erst kurz vor der Zeit
Tutanchamuns eingeführte künst-
lerische Neuerung feststellen. Eine
weitere Besonderheit: Die heraushängende Zunge (sie besteht hier
aus rotgefärbtem Elfenbein) findet
sich bei den Darstellungen des
Gottes Bes auf den Lotossäulen an
den Gefäßseiten.

Ein weiterer, kostbarer Fund aus dem engen Zwischenraum zwischen den beiden äußeren Schreinen: dieses aus vier zusammengekitteten Alabasterstücken gearbeitete Salbgefäß. Die Schmuck-Symbole sollen zum Ausdruck bringen: Es ist der Nil, der dem König und der Königin (deren Namen das Kunstwerk trägt) beschert, was das Gefäß einst füllte. Der Geier mit der sogenannten Atefkrone (ganz oben auf dem breiten Gefäßrand) symbolisiert entweder die Göttin Mut oder die Göttin Nechbet als Schützerin der duftenden Salbessenzen. Zu beiden Seiten des Gefäßkörpers stehen zwei Göttergestalten mit Hängebrüsten und aufgetriebenen Bäuchen: Personifikationen der zwitterhaften Nilgottheit Hapi, die die Fruchtbarkeit des Stromes versinnbildlicht. Pflanzengeschlinge mit Lilien- und Papyrusblüten in Kopfhöhe der Hapis verdeutlichen, daß es sich um die Hapis Ober- und Unterägyptens handelt.

Auch die von den beiden Hapis gehaltenen Lilien- und Papyrusstengel, die mit dem Hals des Gefäßes verbunden sind, bringen die Zweigliederung des Reiches und seines Stromes sinnfällig zum Ausdruck. Gleiches gilt schließlich für den einzelnen Blütenstengel der betreffenden Pflanzen, den jede der beiden Nilgottheiten hält und auf dem sich oben jeweils eine heilige Uräusschlange (Kobra) mit der ›Weißen‹ und ›Roten‹ Krone (den Kronen Ober- und Unterägyptens) erhebt. Die durchbrochenen Seitenfüllungen des Vasen-Untersatzes zeigen über dem Schriftzeichen für ›Gold‹ Falken mit Sonnenscheiben. Die ausgebreiteten Schwingen dieser Raubvögel sind schützend zu den von Szeptern –Herrschaftssymbolen – flankierten Namenskartuschen des Königs ausgestreckt. Die Verzierung all dieser Alabasterschnitzereien besteht aus Gold und bemaltem Elfenbein.

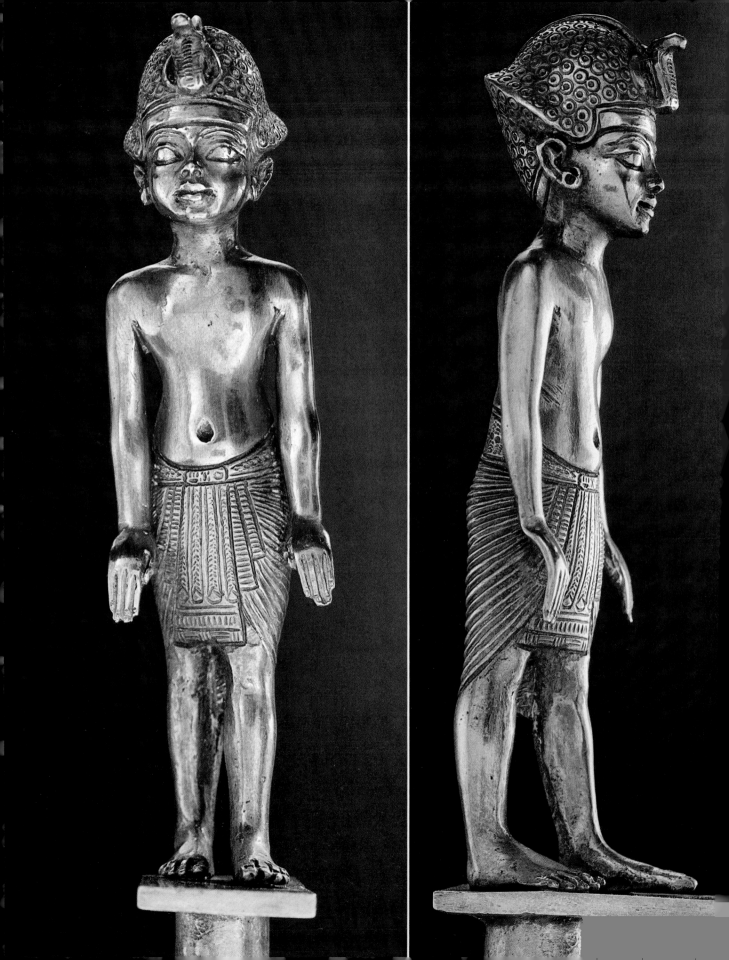

Zu den Gegenständen, die ebenfalls zwischen den beiden äußeren Schreinen gefunden wurden, gehörten zwei in Leinen gewickelte, röhrenförmige Stäbe – einer davon bestand aus Silber, der andere aus Gold. Ansonsten waren sie gleich, jeder trug eine zierliche Statuette des jungen, pausbäckigen Tutanchamun.

Auch diese Stäbe zählen zu jenen Objekten aus dem Grab, die in der gesamten übrigen Kunst Alt-ägyptens ohne Gegenstücke sind. Welchem Zweck sie dienten, konnte noch nicht überzeugend nach-gewiesen werden. Ihrer Form nach erinnern sie an Zeremonialstäbe, wie sie bei bestimmten feierlichen Anlässen von Priestern und Beamten getragen wurden. Allerdings sind Stäbe solcher Art stets länger (die Exemplare, um die es hier geht, sind noch nicht einmal 130 cm lang), und vor allem werden sie nie von der Darstellung eines Menschen gekrönt. Möglicherweise waren es Amts-oder Markierungsstäbe für ein ganz bestimmtes Ritual. Ihre Kürze und das kindliche Aussehen des jungen Herrschers lassen die Vermutung nicht abwegig erscheinen, daß sie bei der Krönung Verwendung gefunden hatten, als Tutanchamun erst neun Jahre alt war.

Bis Carter endlich die Türen des äußersten Schreines geöffnet hatte, wollte das Rätselraten nicht aufhören: War es den Grabräubern gelungen, bis zur Mumie des Königs vorzudringen und den Toten zu berauben? Als dann die Türen offenstanden, gab es keinen Zweifel mehr: Das Siegel an der Tür des zweiten Schreines war unversehrt. Was hinter dieser zweiten Tür lag, mußte also seit Tutanchamuns Begräbnis unberührt geblieben sein!

Auf der rechten Seite eine berühmte Aufnahme: Carter öffnet die Tür des zweiten Schreines und wirft einen ersten Blick auf den dritten Schrein dahinter. Innen wie außen ist der gesamte Schrein mit magischen Formeln, Abbildungen von Göttern und Symbolen bedeckt, die in irgendeinem Zusammenhang mit der Unterwelt stehen. So zeigt beispielsweise die Aufnahme links einen Teil der Rückwand. Bei der auf dem Symbol für ›Gold‹ stehenden Figur eines geflügelten weiblichen Wesens mit weit ausgebreiteten Schwingen handelt es sich um die Göttin Nephthys. Ihre magischen Sprüche geben die Inschriften wieder.

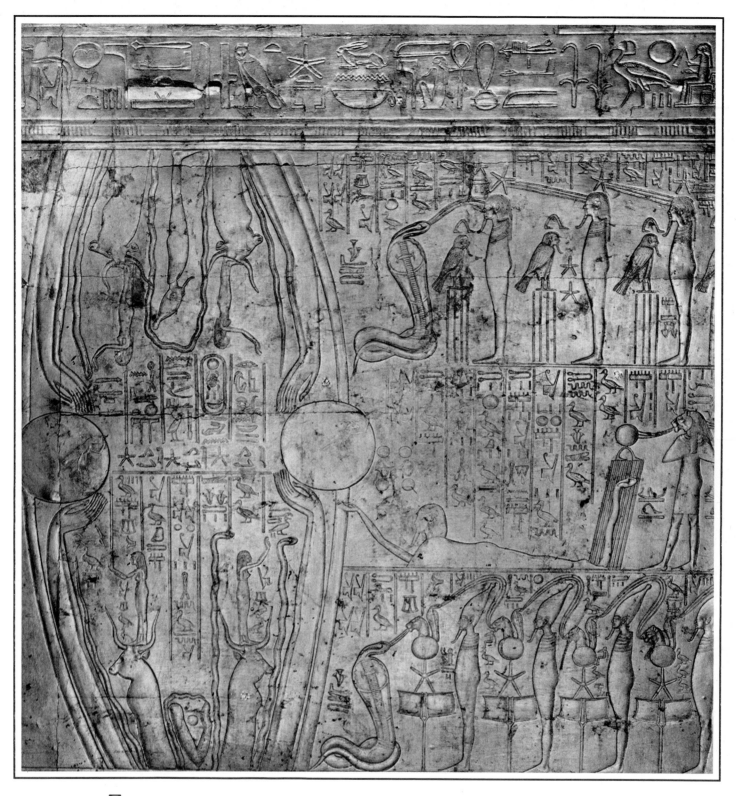

Zum größten Teil schmückten Darstellungen von Unterweltsgeistern und seltsame Symbole die Wände der Schreine Tutanchamuns. Hinzu kam eine Art ›fortlaufender Kommentar‹, teils in normaler Hieroglyphenschrift, teils in einer rätselhaften Hieroglyphen-›Geheimschrift‹, die noch weitgehend unentziffert ist. Und selbst dann, wenn Klarheit darüber besteht, aus welchen einzelnen Komponenten sich eine Szene zusammensetzt, weiß man meistens noch lange nicht, was diese im einzelnen und in ihrer Kombination bedeuten. So bildet beispielsweise Tutanchamuns Mumie das zentrale Element der Darstellung links, und man kann erkennen, daß die Ringe um Kopf und Füße jeweils von einer Schlange gebildet werden, die sich selbst in den Schwanz beißt. Was indessen damit ausgedrückt werden soll, vermag niemand zu sagen. Noch unverständlicher ist die Szene auf dem Bild oben mit ihren feuerspeienden Schlangen, mumienartigen Gestalten und Armpaaren, die sich aus der Erde empor- und vom Himmel herabstrecken und mit den Händen eine (Sonnen- [?]) Scheibe berühren (bzw. halten).

Isis und Nephthys, zwei nach altägyptischen Vorstellungen miteinander verschwisterte Göttinnen, an der Türflügel-Innenseite des dritten Schreins. Durch ihre weit ausgebreiteten Schwingen weisen sich beide Gottheiten als Schützerinnen und Hüterinnen der Mumie Tutanchamuns aus. Beide sprechen Zauberformeln, deren Wortlaut auf dem freigebliebenen Türfeld-Grund rings um die geflügelten Gestalten wiedergegeben ist. Sie verheißen dem König ewiges Leben. Den Sonnengott Rê werde er auf seiner Barke begleiten: bei Tage am Himmel, nachts in der Unterwelt. Auf dem Sturz über der Schreintür: eine geflügelte Sonnenscheibe, von der Kobras herabhängen – das Symbol des göttlichen Horus von Edfu.
Im ›Tal der Könige‹ wachten Beamte über die Gräber und drückten ihr Siegel auf die Grabtüren. In Tutanchamuns Grab versiegelten sie auch die Türen der inneren Schreine. Das auch auf dem oben abgebildeten Siegel erkennbare ›Wappen‹ der ›Friedhofsverwaltung‹ war ein liegender Schakal über neun gefesselten Gefangenen.

Tutanchamuns Schreine wurden selbstverständlich nach innen immer kleiner, allerdings in sehr ungleichmäßigem Verhältnis. Infolgedessen schwankten die Abstände zwischen annähernd 1,20 m und knapp 46 cm. Einige der Gegenstände, die im breitesten ›Gang‹ (zwischen dem ersten und zweiten Schrein) sowie im Zwischenraum zwischen dem zweiten und dritten Schrein lagen, wurden bereits beschrieben.

In der Lücke zwischen dem dritten und vierten Schrein kamen unter anderem zwei bemerkenswerte Fächer oder ›Wedel‹ zum Vorschein, die mit Straußenfedern besetzt waren. Einer davon besteht aus Ebenholz mit Goldblechbelag und reichem Besatz mit Türkisen, Lapislazuli, karneolfarbenem Glas und durchscheinendem Alabaster. Er ist als ›Wedel aus Ebenholz‹ in die Literatur eingegangen. Den anderen bezeichnet man gewöhnlich als ›goldenen Wedel‹. Er ist aus gleichfalls mit Gold überzogenem Holz. Insekten haben die abwechselnd weißen und braunen Straußenfedern (bei jedem der beiden Wedel waren es 30) fast vollständig zerstört.

Hervorzuheben ist die Dekoration der ›Platten‹ dieser Wedel, in denen die Federn steckten – dies gilt besonders für den ›goldenen Wedel‹, den die folgenden Tafeln zeigen. Fächer oder ›Wedel‹ dieser Art sind auf altägyptischen Reliefs keine Seltenheit. Nach Ausweis der vorliegenden Abbildungen trug man sie hinter dem König her. Ihr noch in der Neuzeit gebrauchtes Gegenstück waren die mit dem italienischen Wort flabelli (Einzahl: flabello) bezeichneten, großen Straußenfeder-Wedel des päpstlichen Zeremoniells, die seit dem 9. Jahrhundert unserer Zeitrechnung bis zum Pontifikat Johannes' XXIII. (1958-1963) dem Papst nachgetragen wurden, wenn er den Tragsessel (die sedia gestatoria) benutzte. Erst in jüngster Zeit verzichteten die Päpste auf diese Requisiten aus dem Zeitalter der Pharaonen.

Einer Inschrift auf dem Griff des ›goldenen Wedels‹
zufolge bestand besagter Wedel aus »Straußenfedern, die Seine
Majestät bei der Jagd in der Wüste östlich von On (Heliopolis)
erbeutete«. Einzelheiten dieser Jagd sind in erhabener Goldarbeit
auf beiden Seiten der Wedel-Platte dargestellt. Auf der hier abgebildeten Seite sieht man Tutanchamun in seinem Wagen stehen
und den Bogen spannen. Um dafür die Hände frei zu haben, hat er
die Zügel um die Hüften geschlungen. Sein Jagdhund ist gerade
im Begriff, zwei verwundete Strauße zu Tode zu hetzen.

Eine Inschrift hinter dem König besagt:
»Aller Schutz des Lebens sei mit ihm« – ein Wunsch,
den auch das mit Menschenarmen und -beinen
dargestellte, hinter dem Wagen herlaufende ›Lebens‹-
Zeichen (die <u>anch</u>-Hieroglyphe) zum Ausdruck bringt.
Dieses vermenschlichte Schriftzeichen trägt in seinen
Händen einen dem ›goldenen Wedel‹ gleichenden
Wedel hinter dem König her.

Die hier abgebildete Seite der Platte des ›goldenen Wedels‹ zeigt Tutanchamuns Heimkehr von der Jagd. Die feurigen Rosse sind nun hart an die Kandare genommen. Tatsächlich hält der König jetzt die Zügel fest in den Händen, und außerdem noch Bogen und Peitsche. Statt eines Mieders aus Leopardenfell hat er ein gefälteltes Gewand angelegt. Dazu trägt er ein Schultertuch mit federbesetztem Saum.

Zwei Diener haben sich die erlegten Strauße auf die Schultern geladen. Allerdings wiegt ein ausgewachsener Strauß (<u>Struthio Camelus</u>), wie es ihn noch bis vor etwa 150 Jahren in Ägypten gab, an die drei Zentner. Zumindest in diesem Punkte hat die Phantasie des Künstlers mitgespielt. Die Inschriften über der Szene vergleichen die Schießkunst des Königs mit der der Göttin Bastet und die Stärke seiner Pferde mit der von Stieren.

Ebenholzriegel, die oben und unten an den beiden Türflügeln durch silberne Krampen liefen, verschlossen die Flügeltüren der Schreine Tutanchamuns. Auf halber Türhöhe gab es zwei weitere Krampen, die ein mehrfach verschlungenes und geknotetes Seil miteinander verband. Schließlich ›plombierte‹ man den Seilknoten mit einem Lehmklumpen, dem man zwei Siegel aufprägte – skarabäenförmige Siegelstempel, in einem Fall mit dem Zeichen der Königstotenstadt (dem schon mehrfach erwähnten, ruhenden Schakal über neun gefesselten Gefangenen). Das andere Siegel war damit praktisch identisch, nur daß es außerdem noch Tutanchamuns Namen enthielt. Die Gefangenen versinnbildlichten Ägyptens traditionelle Gegner; der Schakalgott Anubis war zwar in erster Linie für die Mumifizierung der Toten zuständig, doch auf den fraglichen Siegeln scheint er eher als Schützer der Königstotenstadt vor allen Eindringlingen in Erscheinung zu treten. Rechts die geöffneten Türflügel des innersten Schreines. Die Türriegel sind aufgezogen, und auch das versiegelte Seilstück ist entfernt worden. Hinter der Tür im Inneren des Schreines: der Sarkophag Tutanchamuns.

Der ›Kasten‹ dieses
vorzüglich gearbeiteten Sarko-
phages besteht aus einem einzigen,
bräunlichgelben Quarzitblock. Der
Deckel dagegen ist aus rötlichem
Granit, er wurde allerdings bemalt
und so dem Farbton der Sarko-
phag-›Truhe‹ angeglichen. Warum
man zwei verschiedene Steinsorten
verwendete, ist nicht ganz klar.
Allenfalls könnte man vermuten,
daß der vielleicht ursprünglich
vorgesehene Quarzitdeckel nicht
mehr rechtzeitig bis zum Begräbnis
fertig wurde, so daß man not-
gedrungen den weniger wertvollen
Granitdeckel, den man zufällig
gerade zur Hand hatte, als Ersatz
nahm. Doch damit nicht genug der
Rätsel: Der Granitdeckel war in der
Mitte gesprungen, den Riß hatte
man mit Zement verschmiert und
übermalt. Der Bruch muß sich
bereits ereignet haben, bevor man
die Schreine über dem Sarkophag
zusammenfügte. Eine plausible
Erklärung hierfür scheint fast
unmöglich. Man könnte vermuten,
durch den frühen Tod des so
jungen Königs sei man in Zeitdruck
geraten, und bei der überhasteten
Arbeit im Grab habe sich ein
Unglücksfall ereignet.
Daß man überall magische
Symbole anbrachte, ist einer der
hervorstechendsten Züge altägyptischer Gräber. Was Tutanchamuns Sarkophag angeht, so
dokumentiert sich diese Sitte am
augenfälligsten in den anmutigen
Gestalten der Göttinnen Isis,
Nephthys, Neith und Selket, die
– an den Sarkophagecken in
Hochrelief dargestellt – schützend
die weit ausgebreiteten Arme und
geöffneten Flügel um den Sarkophag mit dem toten König legen.

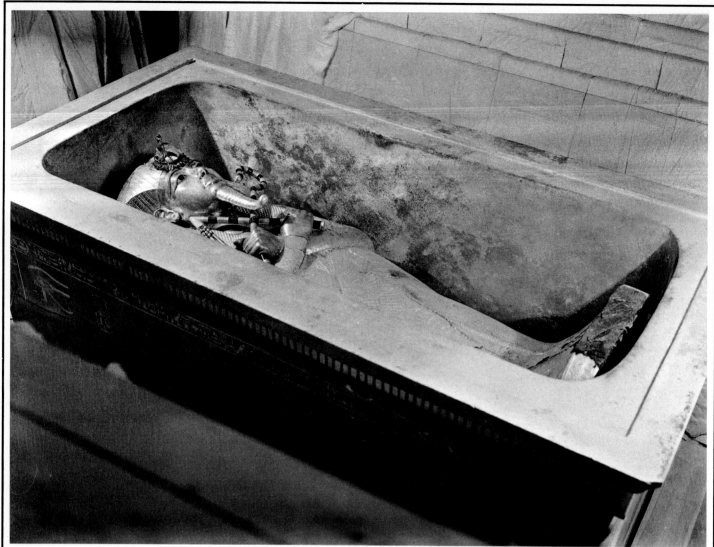

Nachdem der Sarkophagdeckel gehoben und ein Leinentuch entfernt worden war, zeigte sich den Blicken nicht etwa Tutanchamuns Mumie, sondern der äußerste von drei ineinandergefügten Särgen, alle drei so geformt, wie man sich die Verkörperung des Gottes Osiris in Menschengestalt vorstellte. Der Sarg besteht aus mit Gold auf Gipsgrund belegtem Holz. Die über der Brust gekreuzten Hände halten Osiris' Insignien: Krummstab und ›Geißel‹ (bzw. Dreschflegel), beides mit Gold, Fayence und farbigem Glas überzogen; um den Geier und die Uräusschlange (Kobra) vorn am Kopfputz war ein kleiner Blumenkranz gewunden. Der Gesichtsteil des Sarges zeigt die Züge Tutanchamuns. Indem man den verstorbenen König als einsgeworden mit Osiris ab-

bildete, mit jenem Gott, den die Zauberkraft seiner göttlichen Gemahlin Isis nach dem Tode wieder zum Leben zu erwecken vermochte, glaubte man auch sein Weiterleben nach dem Tode zu gewährleisten.

Einer der reizvollsten Kleinfunde aus der Sargkammer war dieses goldene Salbgefäß aus zwei separaten Behältern im Königskartuschenformat auf einer gemeinsamen Fußplatte aus Silber. In der Regel umschließen Kartuschen den Namen eines Königs, hier aber enthalten sie Darstellungen des Herrschers, der noch die bei Kindern in Altägypten übliche Seitenlocke (›Jugendlocke‹) trägt. Daß Tutanchamun hier einmal mit schwarzer Hautfarbe abgebildet ist, hat wohl magische Gründe.

Ein weiteres leinenes Bahrtuch lag über dem mittleren (zweiten) Sarg. Diesmal befand sich der um die Stirnembleme (Nechbet-Geier und Uräusschlange: die Symbole Ober- und Unterägyptens) gewundene Kranz bereits oben auf dem Tuch, das von der Brust an abwärts auch mit einem Blumen- und Blättergebinde bedeckt war. Beide enthielten Blätter von Ölbaumzweigen, Blütenblätter des Blauen Lotos und Kornblumen, alles an Papyrusstreifen befestigt. In dem Gebinde über Brust und Bauch kamen außerdem noch Blätter von Weidenzweigen und Eppich (wildem Sellerie) hinzu. Die Aufnahme unten zeigt Carter beim Entfernen des Leichen-

tuchs. Das Bild links dagegen zeigt, was Carter sah. Der gesamte Sarg besteht aus Holz mit einer Goldauflage über gesso-Grund (›Gips‹-Grund), belegt mit (roten) Jaspis- sowie (blauen) Lapislazuli- und Türkisimitationen aus farbigen Glasflüssen in Federornament. Den Oberkörper umfangen schützend Darstellungen eines Geiers und einer geflügelten Kobra mit ausgebreiteten Schwingen. Die Deckel der beiden äußeren Särge waren mit Silberzapfen in Ausbohrungen der oberen Ränder des Sargkastens eingepaßt. Silberstifte mit goldenen Köpfen wurden waagerecht durch Sargwand und Zapfen getrieben und hielten den Deckel dann fest.

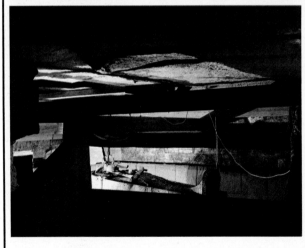

Zwischen dem Sarkophag und dem äußersten (ersten) Sarg war gerade Platz genug, um die Silberstifte herauszuziehen, so daß der Sargdeckel gehoben werden konnte. Der mittlere Sarg aber war so genau in den äußeren eingepaßt, daß sich die Stifte nur ganze 6 Millimeter bewegen ließen. Um sie zu entfernen, mußte zuerst die gesamte Sarg-›Garnitur‹ angehoben werden. Zuvor schon hatte man starke Drähte an den herausragenden kurzen Enden der Silberstifte des zweiten Sarges und an einem Balkengerüst über dem Sarkophag befestigt. An diesen Drähten blieb Sarg Nr. 2 schließlich hängen, während man Sarg Nr. 1 wieder in den Sarkophag hinabließ.

Der mittlere Sarg auf den quer über den Sarkophag gelegten Brettern. Der Kasten des ersten (äußeren) Sarges steht wieder unter diesen Brettern im Sarkophag. Die Drähte, an denen der hier abgebildete mittlere Sarg vorübergehend hing, sind wieder entfernt. Nun lassen sich die Silberstifte, die die Zapfen des Deckels halten, ohne weiteres herausziehen, so daß der Sargdeckel geöffnet werden kann. Carter verblüffte vor allem das ungeheure Gewicht dieser Särge, waren sie doch weit schwerer, als die Stärke der Holzwände erwarten ließ. Erst die Öffnung dieses zweiten Sarges brachte des Rätsels Lösung.

Man kann sich kaum vorstellen, welch ein Arbeitsaufwand nötig gewesen sein muß, um diesen Sarg herzustellen. Aus Holz (Eiche ?) geschnitzt, wurde er zunächst mit einer dünnen Schicht Goldblech auf <u>gesso</u>-Grund überzogen. Dann lötete man Golddrahtstege auf die Goldfolie, und diese Stege bildeten kleine Zellen, in die wiederum Stücke aus farbigen Glasflüssen eingefügt wurden, die ein Bindemittel an ihrer Goldblechunterlage festhält. Man bezeichnet diese Technik als ›ägyptisches Zellenwerk‹ oder gar ›ägyptischen Zellenschmelz‹ (bzw. ›ägyptische <u>cloisonné</u>-Arbeit‹), aber um echten ›Zellenschmelz‹ handelt es sich noch nicht. Statt dessen paßte man bereits vorgeformte Glasplättchen in die ›Zellen‹ ein.

Sobald der Deckel
des mittleren Sarges geöffnet war,
erklärte sich das ungewöhnliche
Gewicht dieser drei Särge: Der
dritte innerste Sarg bestand aus
massivem Gold. Er war 1,85 m lang
und hatte ungefähr 3 mm dicke
Wände. Wie sich herausstellte, wog
er mehr als zwei Zentner (genau:
110,4 kg). Man hatte reichlich
duftharzhaltiges Salböl über ihn
gegossen, das, zu einer pechartigen
Masse geronnen, fast den gesamten
Zwischenraum zwischen ihm und
dem mittleren Sarg füllte.

Wie die Holzsärge hatte man auch diesen Goldsarg mit einem Leinentuch bedeckt. Auf diesem Tuch lag »ein wunderbarer Halsschmuck« (Carter) aus Blättern, Blumen, Beeren, Früchten und Glasperlen, die man auf eine halbkreisförmige Papyrusunterlage genäht hatte. Auch dieser Goldsarg stellt den König in Osiris-Gestalt mit dessen üblichen Attributen – Krummstab und ›Geißel‹ (bzw. Dreschflegel) – dar. Die Gesichtszüge indessen sind, bei aller Stilisierung, die Tutanchamuns. Um den Hals trägt der Pharao ein doppelreihiges Halsband aus Gold und blauen Fayenceteilen. Halsbänder dieser Art verliehen ägyptische Könige Offizieren und hohen Beamten für außerordentliche Verdienste. Ein breiter, in Zellentechnik ausgeführter ›Perlenkragen‹ bedeckt die Brust, und entsprechende Armbänder zieren die Handgelenke. Aus schimmerndem Zellenwerk sind vor allem an Bauch und Armen die Darstellungen des Geiers der Göttin Nechbet und der wadjet-Schlange (der geflügelten ›grünen‹ Schlange Uto mit dem Körper eines Geiers) – beides Verkörperungen der ›beiden Herrinnen‹ bzw. der Reichsgöttinnen Ober- und Unterägyptens. Beide halten das Hieroglyphenzeichen für ›Unendlichkeit‹ in ihren Krallen. Auf dem unteren Teil des Sarges breiten eingravierte Darstellungen der Göttinnen Isis und Nephthys weit ihre Flügel aus.

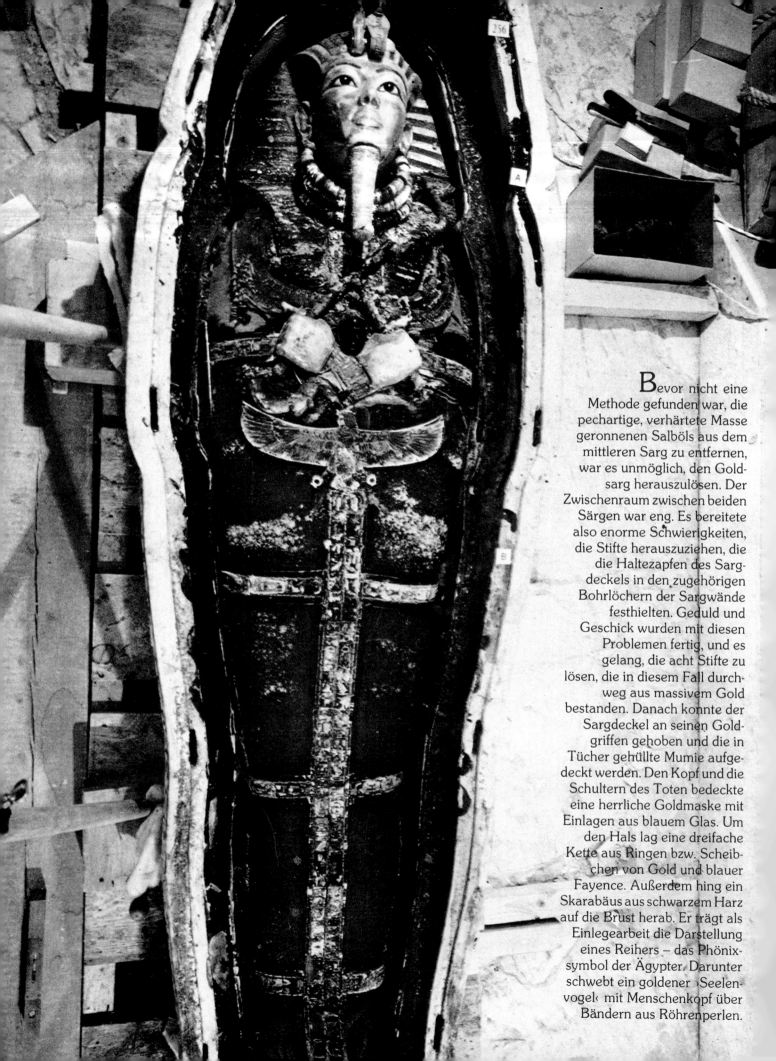

Bevor nicht eine Methode gefunden war, die pechartige, verhärtete Masse geronnenen Salböls aus dem mittleren Sarg zu entfernen, war es unmöglich, den Goldsarg herauszulösen. Der Zwischenraum zwischen beiden Särgen war eng. Es bereitete also enorme Schwierigkeiten, die Stifte herauszuziehen, die die Haltezapfen des Sargdeckels in den zugehörigen Bohrlöchern der Sargwände festhielten. Geduld und Geschick wurden mit diesen Problemen fertig, und es gelang, die acht Stifte zu lösen, die in diesem Fall durchweg aus massivem Gold bestanden. Danach konnte der Sargdeckel an seinen Goldgriffen gehoben und die in Tücher gehüllte Mumie aufgedeckt werden. Den Kopf und die Schultern des Toten bedeckte eine herrliche Goldmaske mit Einlagen aus blauem Glas. Um den Hals lag eine dreifache Kette aus Ringen bzw. Scheibchen von Gold und blauer Fayence. Außerdem hing ein Skarabäus aus schwarzem Harz auf die Brust herab. Er trägt als Einlegearbeit die Darstellung eines Reihers – das Phönixsymbol der Ägypter. Darunter schwebt ein goldener ›Seelenvogel‹ mit Menschenkopf über Bändern aus Röhrenperlen.

Tutanchamuns Särge und seine Mumie hatten die traditionelle Osiris-Gestalt. So wurde sinnfällig zum Ausdruck gebracht, daß der König im Tode mit Osiris einswurde und folglich an dessen Auferstehung teilhaben konnte.

Diese Darstellungsweise hat etwas mit ›imitativer Magie‹ zu tun. Doch als König hatte der Tote noch eine andere Chance, das Leben zurückzugewinnen: indem man ihn mit dem Sonnengott gleichsetzte, dessen Körper aus Gold bestand und dessen Haare aus Lapislazuli waren. Die hier abgebildete Maske mit ihrer goldenen Gesichts- und Halspartie sowie Augenbrauen und Wimpern aus Lapislazuli scheint

Tutanchamun als Sonnengott darzustellen und ihm somit das Weiterleben nach dem Tode zu sichern: ein solares, sonnenhaftes Weiterleben, so wie sich auch die Sonne nach ihrer nächtlichen ›Fahrt durch die Unterwelt‹ des Morgens wieder strahlend am Horizont erhebt.

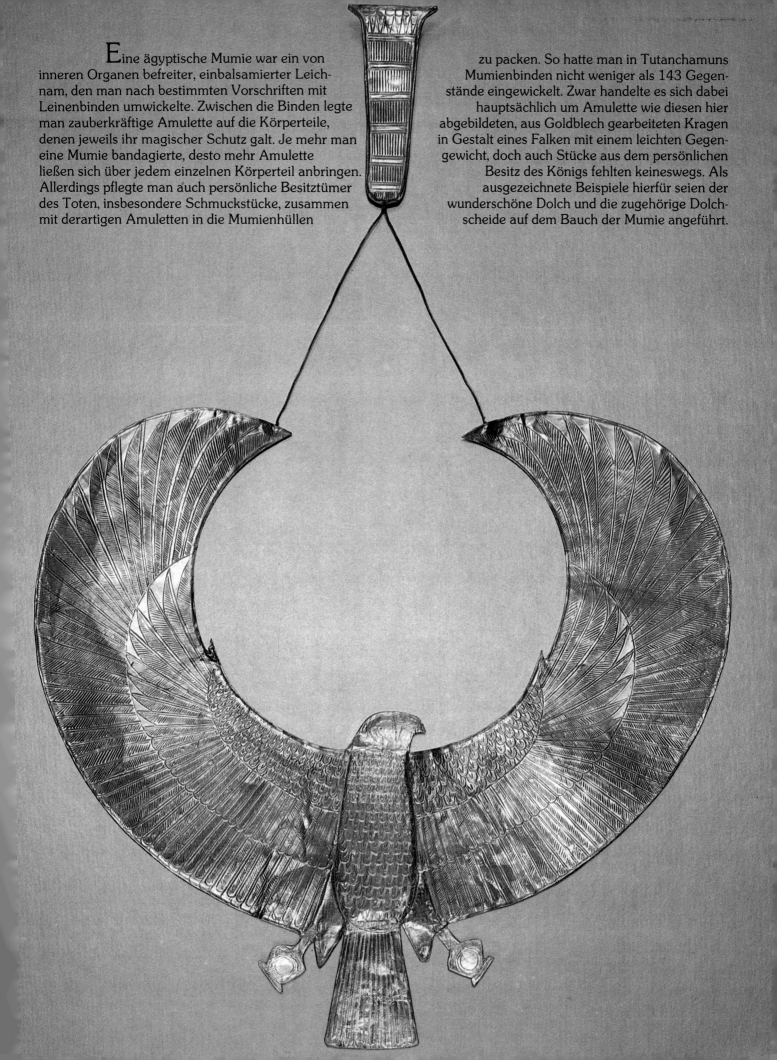

Eine ägyptische Mumie war ein von inneren Organen befreiter, einbalsamierter Leichnam, den man nach bestimmten Vorschriften mit Leinenbinden umwickelte. Zwischen die Binden legte man zauberkräftige Amulette auf die Körperteile, denen jeweils ihr magischer Schutz galt. Je mehr man eine Mumie bandagierte, desto mehr Amulette ließen sich über jedem einzelnen Körperteil anbringen. Allerdings pflegte man auch persönliche Besitztümer des Toten, insbesondere Schmuckstücke, zusammen mit derartigen Amuletten in die Mumienhüllen

zu packen. So hatte man in Tutanchamuns Mumienbinden nicht weniger als 143 Gegenstände eingewickelt. Zwar handelte es sich dabei hauptsächlich um Amulette wie diesen hier abgebildeten, aus Goldblech gearbeiteten Kragen in Gestalt eines Falken mit einem leichten Gegengewicht, doch auch Stücke aus dem persönlichen Besitz des Königs fehlten keineswegs. Als ausgezeichnete Beispiele hierfür seien der wunderschöne Dolch und die zugehörige Dolchscheide auf dem Bauch der Mumie angeführt.

Als besonders wertvolles Besitztum betrachtete man zweifellos diesen Dolch. Auf seiner Klinge – aus gehärtetem Gold – ist ein Muster einziseliert. Es besteht aus Streifen mit geometrischem Zierat (einem Rautenband) sowie einer ›Palmette‹ mit Klatschmohnkapseln über zwei Längsrillen als ›Blütenstengeln‹. Den Griff schmücken abwechselnd Streifen mit geometrischen Mustern aus Goldgranulat und Zellenwerk-Bänder mit geometrischen Ornamenten, Lilien und ›Palmetten‹ aus Halbedelstein- und Glasflüssen. Die eine Seite der Scheide ziert ein Federmuster in Einlegearbeit (Zellenwerk) zwischen einem Palmettenfries am oberen Rand und einem Schakalkopf an der Scheidenspitze. Die andere Seite zeigt dagegen in erhabener Arbeit jagende Löwen, Steinböcke, ein Kalb und einen Stier, außerdem erblickt man Hunde, einen Leoparden und ein fliehendes Kalb. Ein zierliches Blumenornament bildet zur Scheidenspitze hin den Abschluß.

Schon in vorgeschicht-
licher Zeit (also etwa 3100 Jahre
v. Chr.) kannte man (Meteor-) Eisen
in Ägypten und verwendete es auch
gelegentlich. Das Metall für die
eiserne Klinge dieses Dolches (links)
sowie für einige andere, durchweg
kleinformatige Eisengegenstände in
Tutanchamuns Grab mag als
Geschenk eines vorderasiatischen
Herrschers an den Nil gelangt sein
– vielleicht stammte es vom
Hethiterkönig, denn die Hethiter
verstanden sich schon früh auf
Eisenverarbeitung. Der Griff ist
ähnlich dekoriert wie der des Gold-
dolches, nur der Knauf trug beim
Golddolch in erhabener Arbeit auf
Goldblech den Namen des Königs,
hier besteht er aus Bergkristall ohne
jede Inschrift. Die Dolchscheide ist
aus Gold.

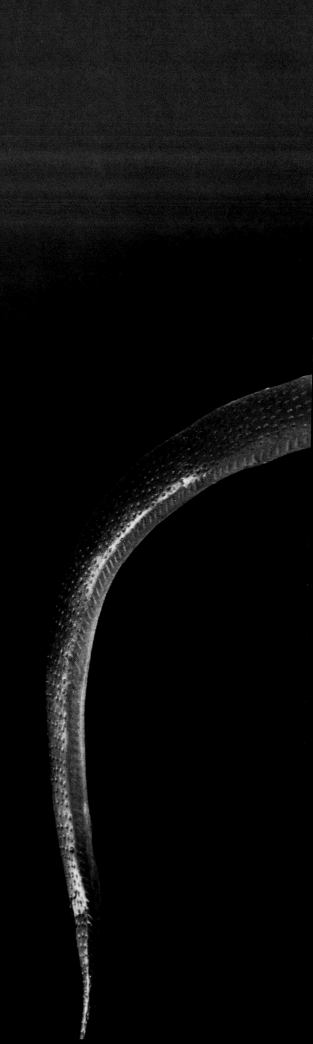

Texten und Darstellungen auf Särgen zufolge, die an die 500 Jahre älter als Tutanchamuns Grab sind, mußten sich – so war es ausdrücklich vorgeschrieben – ›am Kopf‹ eines Verstorbenen Gruppen von fünf Kobra- und ebensovielen Geier-Amuletten befinden. Tatsächlich kamen in den Mumienbinden im Halsbereich des Toten fünf goldene Geieramulette und drei Kobras (oder vier, wenn man eine doppelte Königsschlange auch doppelt zählt) zum Vorschein. Eine der Schlangen hatte einen Menschenkopf und weit ausgebreitete Flügel. Gleichfalls ›am Kopf‹, über der Halspartie der Mumie, aber in einer anderen Mumienhüllenschicht, fand sich die hier abgebildete Schlange. Möglich, daß sie einfach falsch ›verpackt‹ wurde. Bisweilen verrichteten altägyptische Mumien-Einbalsamierer ihre Arbeit mit einer gewissen Nachlässigkeit. Andererseits könnte es sich auch um ein eigenes Amulett mit uns unbekanntem Zweck gehandelt haben. Die Schlangendarstellung besteht aus gehämmertem und zise- liertem Goldblech. Eine ruhende Kobra in der gleichen Haltung wie das Reptil auf dem Bild diente als Hieroglyphenzeichen zur Wiedergabe des Lautes <u>dj</u>, doch dies dürfte hier wohl belanglos sein.

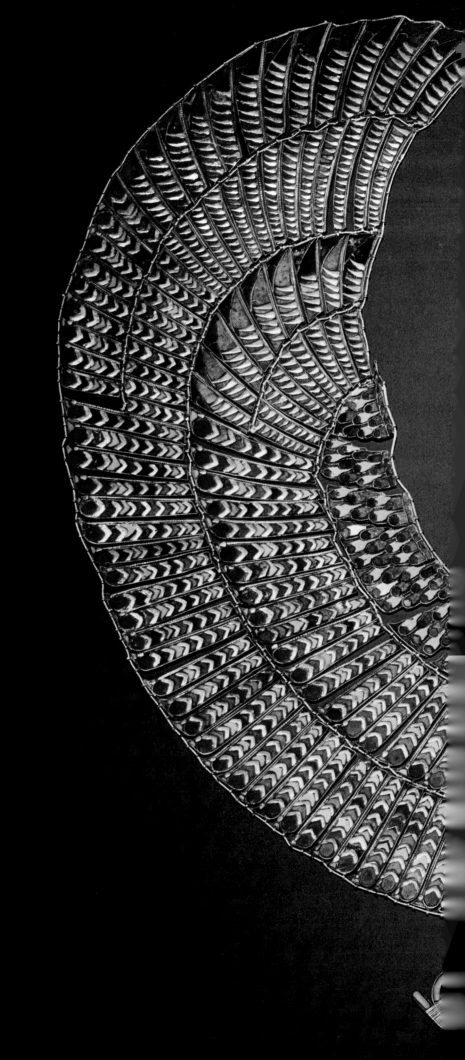

Nicht weniger als siebzehn Kragen waren in Tutanchamuns Mumienhüllen eingebunden. Einige bestanden aus künstlichen ›Perlen‹, die meisten jedoch aus Gold – und zwar entweder aus Gold mit einziselierten Details oder aus Gold mit Einlegearbeiten (Zellenwerk), wobei dann auch farbige Halbedelstein- und/oder Glasflüsse Verwendung fanden. Zur Veranschaulichung der Meisterschaft altägyptischer Kunsthandwerker eignet sich das hier abgebildete Beispiel eines solchen Kragens vorzüglich. Es stellt den Geier der oberägyptischen Reichsgöttin Nechbet dar und lag auf der Brust der Mumie, so daß die Spitzen der Geierflügel bis an die Schultern des Toten reichten. Ein Gegengewicht in Blütenform hing – mit Golddrähten an Ösen auf der Rückseite der Geierschwingen befestigt – am Rücken der Mumie herab. Die 250 Goldsegmente der Flügel sind auf der Rückseite ziseliert, vorn aber mit federförmigem Zellenwerk aus farbigem Glas (Türkis-, Jaspis- und Lapislazuli-Imitationen) geschmückt. Fäden, durch kleine Goldösen an den Segment-Schmalseiten gezogen, halten die Einzelteile zusammen. Schnabel und Auge des Geiers bestehen aus Obsidian (vulkanischer Glaslava). Beide Raubvogelkrallen halten das schen-Zeichen, die Hieroglyphe für ›Unendlichkeit‹, mit Einlagen aus rotem und blauem Glas.

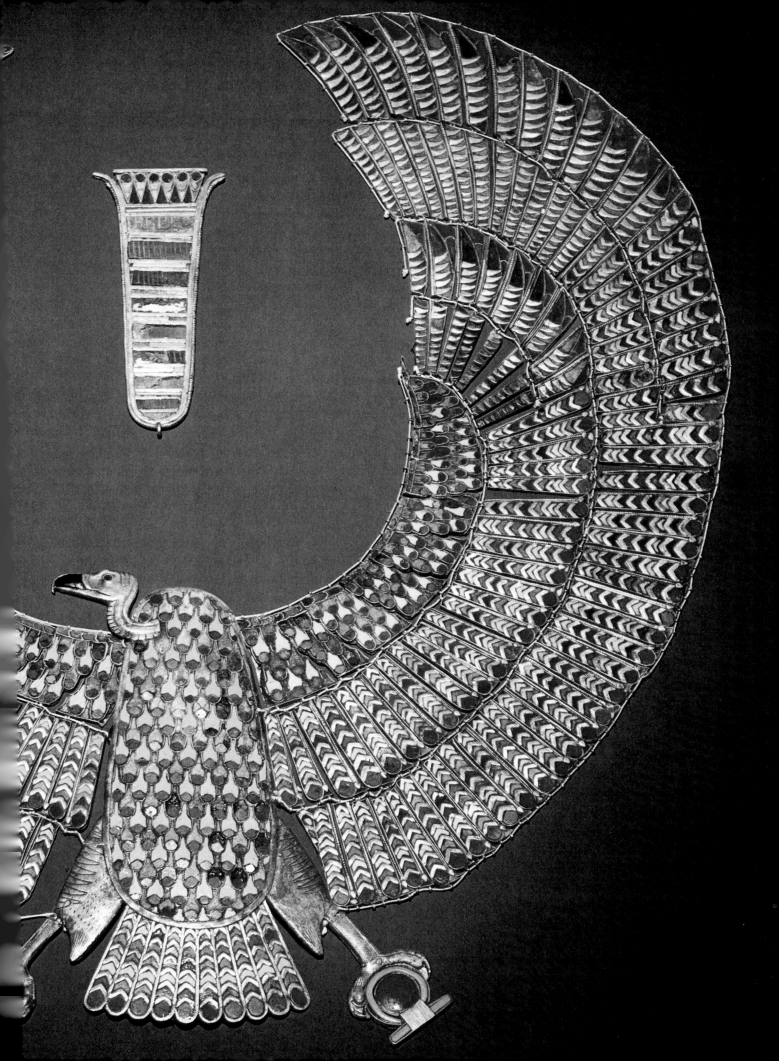

Tutanchamuns Mumie trug dreizehn Armbänder: sieben am rechten und sechs am linken Unterarm. Weitere elf Armreifen hatte man in die Mumienbinden hineinverpackt. Einige dieser Kostbarkeiten dienten nur als Schmuck, andere jedoch waren gleichzeitig auch Amulette. Die beiden hier abgebildeten Stücke trug der Tote am Körper. Bei dem Stein des Armreifs links könnte es sich um einen Türkis handeln. Das eigentliche Armband besteht aus Röhrchen von (nach Ausweis der Blütendarstellungen am Gelenk und am Verschluß) zusammengebundenen Papyrus- und Lilienstengeln. Der Stein des Armbandes ist ein Lapislazuli. In beiden Fällen besteht die Fassung aus Gold mit Goldkörnchenwerk (Granulat), erhabener Arbeit sowie kordelartigen Bändern des Typs colonne doublée und Wellenspiral-Mäandern.

Von den fünfzehn Ringen, die man bei Tutanchamuns Mumie fand, trug der Tote selbst nur zwei an der linken Hand. Der oberste der hier abgebildeten Fingerringe besteht wohl aus Nephrit. Er enthält Flachrelief-Kleinstdarstellungen des Königs und des Gottes Min. Einen Stein aus wolkigweißem Chalzedon besitzt der Ring darunter. Dreidimensionale Kleinstplastiken eines Falken, eines Lapislazuli-Skarabäus und der Mondbarke sind der Schmuck des dritten Ringes in der Mitte rechts.

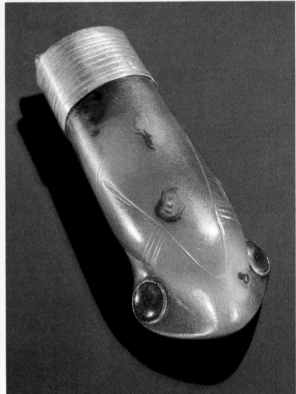

Dieses Amulett besteht aus Karneol und war an einem Golddraht befestigt. Es lag auf der linken Halsseite am Kehlkopf der Mumie Tutanchamuns. Man bezeichnet derartige Objekte als Menkebit (bisweilen auch Menkerit umschrieben) – ein Name, der vermuten läßt, daß sie irgend etwas mit ›Kühlung‹ zu tun hatten (menkeb war eine Bezeichnung für ›Fächer‹). Vermutlich sollten sie der Kehle Kühlung und Erfrischung bringen.

Zentraler Blickfang dieses Armbandes, das am rechten Arm der Mumie gefunden wurde, war die Darstellung eines Menschenauges, kombiniert mit Elementen eines Falkenkopfes. Es handelt sich um das sogenannte udjat-Auge (udjat = ›heil‹, ›gesund‹). Nach altägyptischem Mythos verlor Horus ein Auge, als er mit dem Gott Seth kämpfte, um seinen ermordeten Vater Osiris zu rächen. Thot, der zauberkräftige Gott geheimen Wissens, fand das Auge und heilte es – daher der Name. Horus jedoch gab das wieder gesundete Auge seinem toten Vater Osiris zu essen, der dadurch wieder zum Leben erweckt wurde. Aus einem Stück des Karneols mit dem udjat-Auge ist auch eine Kobra geschnitten, die die Doppelkrone Ober- und Unterägyptens trägt.

Der zweite Ring von oben auf der Aufnahme rechts fand sich am Mittelfinger der linken Hand Tutanchamuns. Er enthält eine Darstellung des knienden Königs, der seine Hände zu einem Bildnis der Göttin Maat (der Verkörperung der ›rechten Weltordnung‹) ausstreckt. Die Abbildungen auf den anderen Ringen geben – von oben nach unten – folgende Motive wieder: Tutanchamun beim Opfer vor Rê-Harachte, den Gott Amun-Rê, die Hieroglyphen des Thron- und des früheren Eigennamens des Königs (Tutanchaton) sowie schließlich den Gott Rê-Harachte.

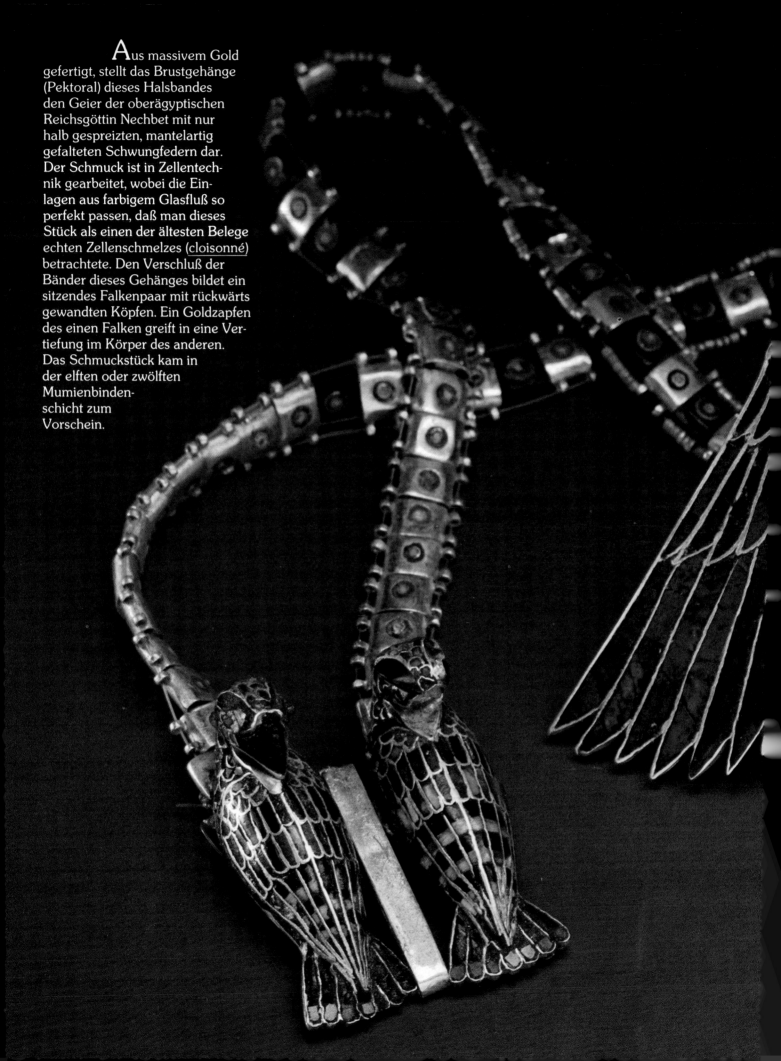

Aus massivem Gold gefertigt, stellt das Brustgehänge (Pektoral) dieses Halsbandes den Geier der oberägyptischen Reichsgöttin Nechbet mit nur halb gespreizten, mantelartig gefalteten Schwungfedern dar. Der Schmuck ist in Zellentechnik gearbeitet, wobei die Einlagen aus farbigem Glasfluß so perfekt passen, daß man dieses Stück als einen der ältesten Belege echten Zellenschmelzes (cloisonné) betrachtete. Den Verschluß der Bänder dieses Gehänges bildet ein sitzendes Falkenpaar mit rückwärts gewandten Köpfen. Ein Goldzapfen des einen Falken greift in eine Vertiefung im Körper des anderen. Das Schmuckstück kam in der elften oder zwölften Mumienbindenschicht zum Vorschein.

Als Kunstwerk steht
die Rückseite dieses Geier-Pektorals
hinter der Vorderseite kaum zurück,
obwohl sie in ganz anderer Technik
gearbeitet ist. Mit größter Genauig-
keit sind sämtliche Lineaturen der
Geierfedern einziseliert. Besonders
faszinierend aber ist fraglos der Kopf
mit seiner realistisch-runzligen
Hinterpartie, den Obsidian-Augen
und dem Lapislazuli-Schnabel. Der
Geier trägt ein in Relieftechnik
ausgeführtes Miniatur-Halsband mit
einem Miniatur-Brustgehänge.
Letzteres besteht aus einer Kartusche
mit dem Königsnamen, flankiert
von Kobras und gekrönt von zwei
Straußenfedern mit der Sonnenscheibe. Vermutlich trug der König
dieses Pektoral bereits zu Lebzeiten.

DIE SCHATZKAMMER

Wie eine Schildwache lag am Eingang zur sogenannten ›Schatzkammer‹ neben der eigentlichen Sargkammer die lebensgroße Figur eines Schakals auf einem kapellen- oder pylonartigen Untersatz – einem Schrein, der mehrere Kleinodien enthielt. Der Schakal war aus Holz geschnitzt und mit dünnem Gipsgrund überzogen, auf den schließlich schwarzes Harz aufgetragen worden war. Der hölzerne Schrein unter ihm war allerdings vergoldet. Leinentücher bedeckten den Schakal fast vollständig, und bei einem dieser Tücher stellte sich heraus, daß es sich um ein Hemd aus dem siebenten Regierungsjahr Echnatons handelte – dies könnte Tutanchamuns Geburtsjahr gewesen sein. Im übrigen stand der Schrein auf einem Schlitten mit langen Tragstangen. Als Hieroglyphe bezeichnet ein liegender Schakal über einem Schrein sowohl den Gott Anubis als auch den Titel ›Der über den Geheimnissen ist‹. Vielleicht sollte die hier abgebildete Skulptur beides zum Ausdruck bringen: Anubis' Wächterrolle, aber gleichzeitig auch seine Funktion als Hüter geheimer Dinge.

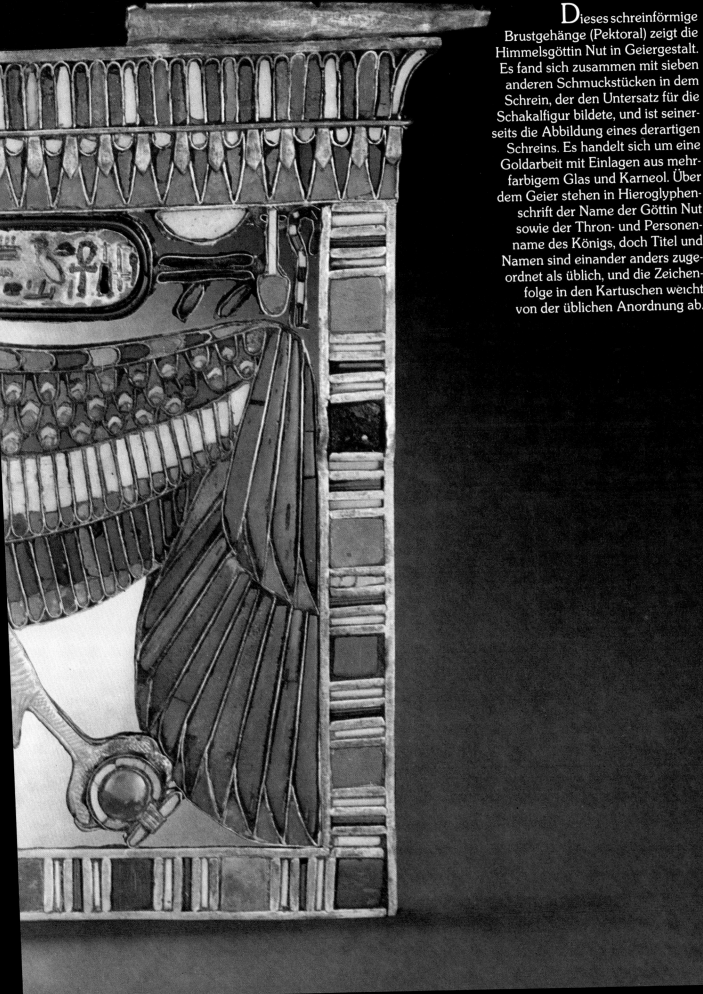

Dieses schreinförmige Brustgehänge (Pektoral) zeigt die Himmelsgöttin Nut in Geiergestalt. Es fand sich zusammen mit sieben anderen Schmuckstücken in dem Schrein, der den Untersatz für die Schakalfigur bildete, und ist seinerseits die Abbildung eines derartigen Schreins. Es handelt sich um eine Goldarbeit mit Einlagen aus mehrfarbigem Glas und Karneol. Über dem Geier stehen in Hieroglyphenschrift der Name der Göttin Nut sowie der Thron- und Personenname des Königs, doch Titel und Namen sind einander anders zugeordnet als üblich, und die Zeichenfolge in den Kartuschen weicht von der üblichen Anordnung ab.

Auch auf dem links abgebildeten Brust-
gehänge erblickt man die Göttin Nut, diesmal jedoch nicht
als Geier, sondern als Frau mit Geierschwingen. Die
Inschriften beiderseits der Göttin erklären, Nut breite
ihre Flügel über Tutanchamun, um ihm Schutz zu
gewähren. Dieses Pektoral fand sich im Schrein unter
dem Schakal – wie auch das untenstehende, dessen
zentrales Element ein geflügelter Skarabäus bildet, der
nicht – wie sonst meist üblich – die Sonnenscheibe in
ihrer morgendlichen Wiedergeburt vor sich herrollt,
sondern die Namenskartuschen Tutanchamuns trägt.
Auf der Rückseite des Skarabäus ein Spruch aus dem
›Totenbuch‹. Er warnt Tutanchamuns Herz davor, beim
Totengericht gegen Tutanchamun zu zeugen. Skarabäen
dieser Art wickelte man gewöhnlich so in die Mumienbinden, daß sie über dem Herzen lagen, das man als Sitz
der Intelligenz ansah. Isis und Nephthys stützen die
Skarabäus-Flügel und zitieren Beschwörungen. Die
geflügelte Sonnenscheibe am oberen Rand versinnbildlicht den Horus von Edfu.
Hathor, die Göttin der Totenstadt von Theben, wurde oft
als Kuh dargestellt, die aus einem Papyrussumpf stieg,
so daß lediglich ihr Kopf sichtbar war. Bei der mit Gold
überzogenen Kuhkopf-Skulptur (rechts) scheint es sich
um eine derartige Hathor-Darstellung zu handeln.

Beim Einbalsamieren eines Leichnams entfernten die alten Ägypter Lunge, Leber, Därme und den Magen und präparierten diese Organe separat. Mumifiziert kamen diese Eingeweide dann in vier ›Kanopenkrüge‹.

Diese stellte man in einen Kasten oder Schrein mit vier Fächern. So wurden sie schließlich zusammen mit dem mumifizierten Leichnam beigesetzt. Auf Tutanchamuns Eingeweide aber verwendete man noch weit mehr Sorgfalt.

Als äußerer Schutz umgab sie die abgebildete, auf einem Schlitten stehende, vergoldete ›Kapelle‹. Vor jeder Seitenwand stand eine der vier Schutzgottheiten: Isis, Nephthys, Neith und Selket. Rechts noch einmal Selket in Farbe.

Alle vier Gottheiten rings um die ›Kapelle‹ gleichen einander – nur ihre Attribute sind verschieden. Die Figuren bestehen aus vergoldetem Holz, Augen und Augenbrauen sind mit schwarzer Farbe aufgemalt. Aus Unachtsamkeit wurden einst, als man die ›Kapelle‹ mit den Schutzgöttinnen aufstellte, Selket und Nephthys miteinander vertauscht. Jede stand infolgedessen am Platz der anderen – eine grobe Fahrlässigkeit nach altägyptischen Vorstellungen!

Selket, die unsere Bilder zeigen, war eine Skorpionengöttin, und auch das Emblem auf ihrem Kopf weist sie als solche aus. Unter anderem versprach man sich von ihrer Zauberkraft insbesondere Heilung bei Skorpionenstichen. Darüber hinaus aber war sie die Göttin jedweden Zaubers überhaupt, und auch Geburt sowie Kindbett gehörten in ihren ›Zuständigkeitsbereich‹. In der hier gezeigten Darstellung trägt sie einen plissierten Umhang über einem kurzärmeligen, eng am Körper anliegenden Gewand. Darüber liegt ein breiter Kragen, seine Wiedergabe deutet mehrere Reihen künstlicher ›Perlen‹ an. Ein Leinentuch bedeckt

ihr am Hinterkopf zusammengebundenes Haar. Ungewöhnlich ist – kunstgeschichtlich betrachtet – die leichte Seitendrehung des Kopfes, die die Konvention der strengen Frontalität durchbricht, wonach eine ägyptische Rundplastik dem Betrachter stets frontal gegenüberzustehen hatte. Der Einfluß Amarnas verrät sich in dem langen Hals und der so natürlich wirkenden Haltung.

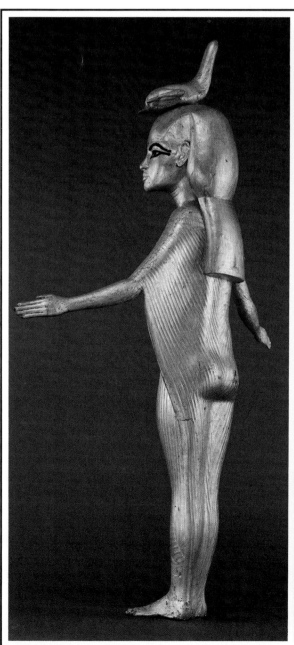
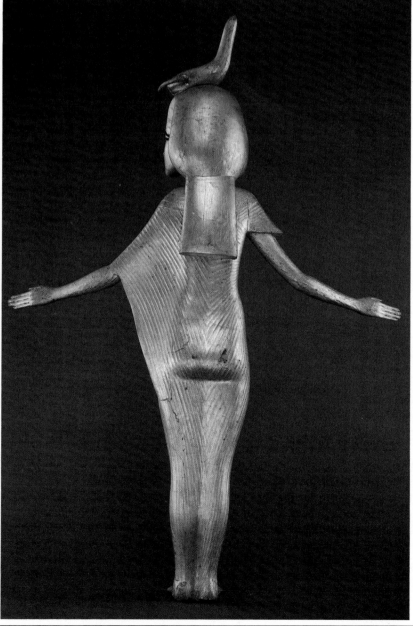

Der kapellenartige, große Schrein enthielt einen kleinen Kanopenschrein aus Alabaster. Dieser stand auf einem gesso-vergoldeten Holzschlitten, besaß seinerseits einen vergoldeten Sockel und war mit einem Leinentuch bedeckt. Stricke, die durch goldene Ösen oben an den Seitenwänden liefen, hielten das abnehmbare Dach. An den vier Ecken standen, in Hochrelief gearbeitet, die vier Schutzgöttinnen, die schon den äußeren Schrein behüteten. Vor ihnen sind kurze Texte angebracht. Einer davon lautet: »Worte, gesprochen von Isis: ›Meine Arme bergen, was in mir ist. Imseti schütze ich, der in mir ist, [den] Imseti des Osiriskönigs Nebcheperurê [d. h.: Tutanchamun], des [vor dem Totengericht] Gerechtfertigten.‹« Der Alabaster-Kasten enthielt vier Hohlräume für die inneren Organe des Königs, und jede dieser vier Höhlungen verschloß ein Deckel mit einer Porträtskulptur des Pharao.

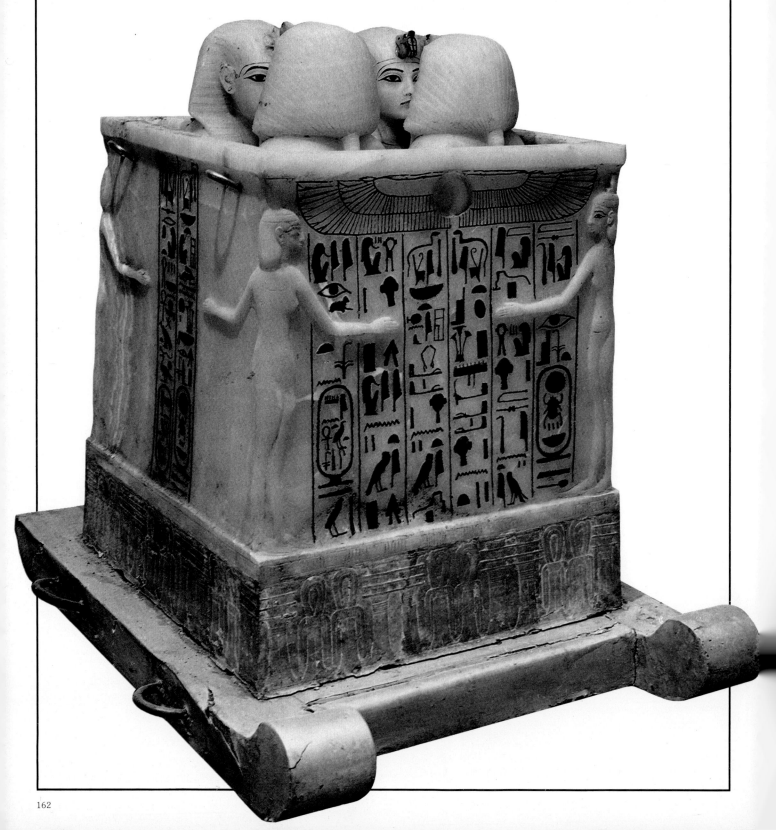

Tutanchamuns Eingeweide lagen nicht einfach in den Höhlungen des Kanopenschreines, sondern waren in vier kleinen Kanopensärgen aus massivem Gold mit Zellenwerk aus farbigem Glas und Karneol beigesetzt – verkleinerten Abbildungen des mittleren der drei großen Mumiensärge. Alle diese Särge stellen den König als Osiris mit den entsprechenden Insignien – Bart, Krummstab und ›Geißel‹ (bzw. Dreschflegel) dar. Die einbalsamierten Eingeweide brachte man mit vier Gottheiten minderen Ranges (man spricht auch von ›Halbgöttern‹) in Verbindung, die man unter dem Sammelbegriff ›Horussöhne‹ zusammenzufassen pflegte. Das waren: Imseti (Leber), Hapi (Lungen), Duamutef (Magen) und Kebehsenuef (Gedärme). Schützerinnen dieser vier ›Horussöhne‹ waren die vier Göttinnen Isis, Nephthys, Neith und Selket. Selket zum Beispiel war für Kebehsenuef ›zuständig‹, wie eine Inschrift an der Vorderseite des Kanopenkastens klarmacht: »Worte, gesprochen von Selket: ›Ich lege meine Arme auf das, was in mir ist. Kebehsenuef schütze ich, der in mir ist, [den] Kebehsenuef des Osiriskönigs Nebcheperurê [d. h.: Tutanchamun], des [vor dem Totengericht] Gerechtfertigten.‹«

Wie es scheint, setzte man Tutanchamuns Namen anstelle anderer Namen ein, die vollständig ausgetilgt wurden (besonders deutlich zeigt sich dies an der Innenseite der Kanopensärge). Wie einige andere Gegenstände im Grab waren daher wohl auch diese Kanopensärge ursprünglich für Semenchkarê, Echnatons Mitregenten in späten Regierungsjahren (und wahrscheinlich Tutanchamuns Bruder oder Halbbruder), bestimmt.

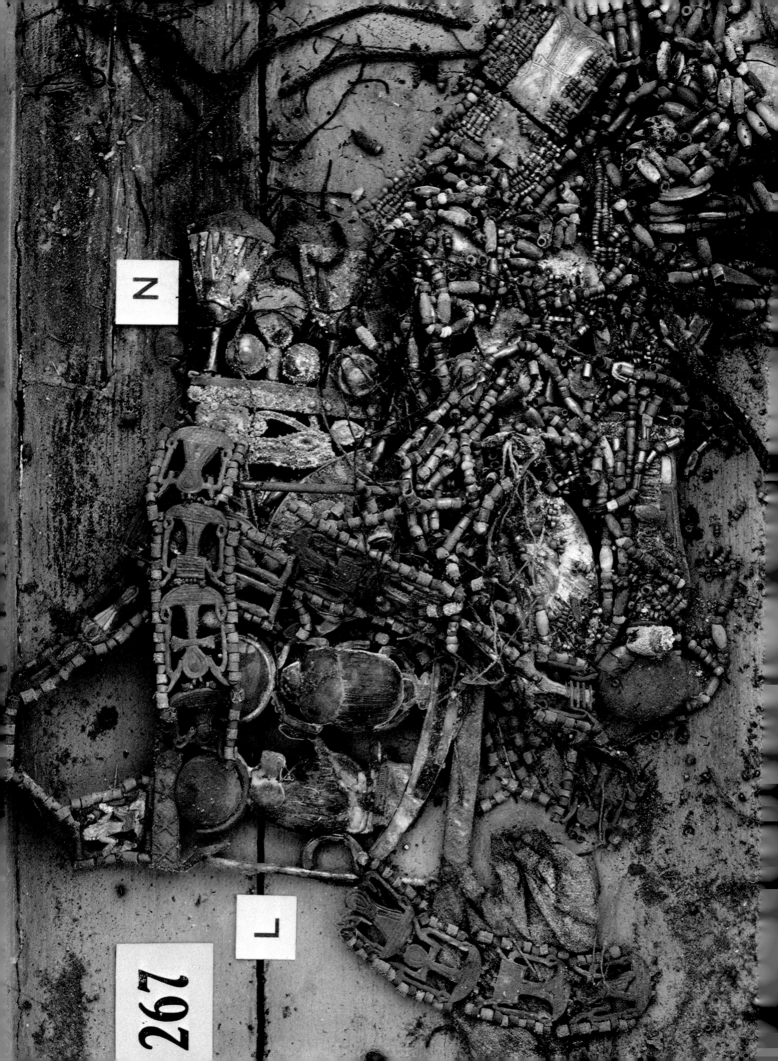

Das Zerlegen der Schreine Tutanchamuns und die Öffnung seiner Särge stellte die Ausgräber vor technische Schwierigkeiten, die man mit Einfallsreichtum und Improvisationsgabe überwand. Doch das Ausräumen so mancher Schatztruhe erwies sich als kaum weniger kompliziert, wenn auch die Probleme hier anderer Art waren. Ein einziges Kästchen auszuräumen, nahm nicht weniger als drei Wochen in Anspruch. Wahrscheinlich waren die Kisten und Kästen anfänglich randvoll gefüllt, und die Diebe, die noch während der Pharaonenzeit hier herumwühlten, rafften in größter Hast nur gerade zusammen, was ihnen besonders ins Auge stach.

Alles andere warfen sie einfach auf den Schatzkammerboden, auf dem danach ein heilloses Durcheinander geherrscht haben muß. Die Friedhofsbeamten, die es offenbar kaum weniger eilig hatten als die Diebe, füllten anschließend die Behältnisse wieder – das heißt: Sie stopften hinein, was ihnen gerade in die Hand kam, ganz gleich, ob es wirklich hineingehörte oder nicht. Durch unsachgemäße Behandlung ging dabei so manches entzwei, und in einigen Fällen fanden sich Einzelteile desselben Stückes in verschiedenen Kästen!

Der Inhalt des hier abgebildeten Kästchens bildet ein eindrucksvolles Beispiel des entstandenen Durcheinanders – und doch fanden sich in all dem Wirrwarr noch immer wahre Kostbarkeiten. Die folgenden Aufnahmen zeigen einige der schönsten Stücke nach ihrer Restaurierung.

Im gesamten Zuschnitt und mit seinem gewölbten Deckel repräsentiert der Schmuckkasten unten einen wohlbekannten und verbreiteten Typ, allerdings verdienen seine Elfenbein- und Ebenholzeinlagen besondere Erwähnung: Sie bestehen aus nicht weniger als 45 000 Einzelteilen!

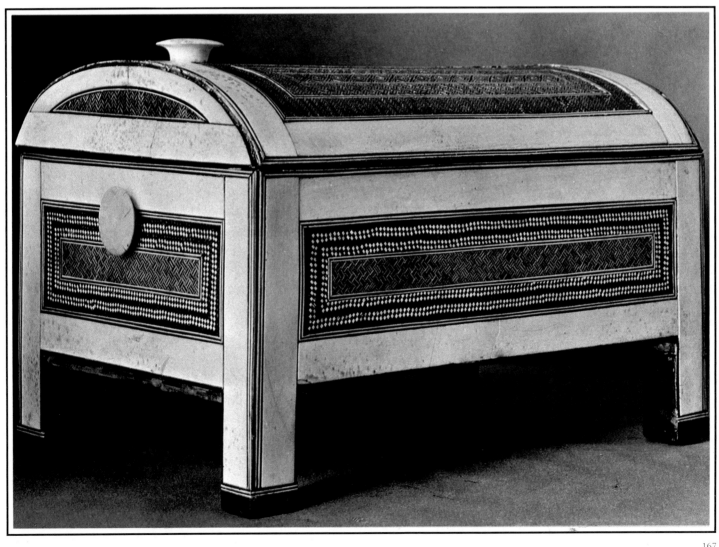

Mit Tusche ist auf dem Deckel dieses Kastens vermerkt: »Goldschmuck vom Leichenbegängnis im Schlafgemach des Nebcheperurê«. Zwar ist nicht ganz klar, was diese Notiz wirklich meint, doch dürfte immerhin feststehen: Das Kästchen enthielt ursprünglich Goldschmuck – nach Ausweis der altägyptischen Bezeichnung wohl Schmuckstücke, die pflanzliche Formen nachahmten.

Tatsächlich kamen etwa ein Dutzend Schmuckstücke zum Vorschein, und einige davon wiesen florale Formen auf, doch bei der Mehrzahl handelte es sich um Wiedergaben mythologischer Szenen oder um Darstellungen irgendwelcher Tiere, die als Attribute irgendwelcher Gottheiten galten. Ein solches Stück ist oben abgebildet: der Geier der Göttin Nechbet

mit der sogenannten atef-Krone, dem Symbol der Einigung Ober- und Unterägyptens unter einem Herrscher. In seinen Krallen hält der heilige Vogel schen-Zeichen – Sinnbilder der Unendlichkeit. Man trug diesen Geier als Brustschmuck an einer Schnur, die durch Ösen an der Rückseite der Geierschwingen gezogen war.

Vielleicht weil er es liebte, so hoch zu fliegen, wurde der Falke zum Symbol des Gottes Horus – ein Name, der in der Tat ›fern‹, ›hoch‹ bedeutet. Schon früh setzte man Horus mit dem Sonnengott Rê gleich, und als Rê-Harachte verkörperte er die Morgensonne in ihrem Aufgang. Dieser goldene Anhänger mit seinen Einlagen aus Halbedelsteinen und hellblauem Glas stellt Rê-Harachte als Falken mit der Sonnenscheibe auf dem Kopf und den schen- und anch-Zeichen in seinen Krallen dar.

Rechts das sogenannte ›Rebus-Pektoral‹ Tutanchamuns. Der Sonnengott erscheint hier als Kombination eines Falken mit einem Skarabäus. Vorderbeine und Flügelspitzen tragen statt der Sonnenscheibe die Himmelsbarke mit zwei Mondsymbolen: das ›linke‹ udjat-Auge (das ›rechte‹ Auge galt als Sonnensymbol) und die Mondscheibe über der Mondsichel. Die goldenen Applikationen sind Darstellungen Tutanchamuns, Rê-Harachtes und des Mondgottes Thot.

Dieses goldene Brust-
gehänge mit seinen Einlegearbeiten stellt
den Sonnengott als Skarabäus dar.

Junger Ägypter mit dem auf der Aufnahme zuvor wiedergegebenen Hals- und Brustschmuck: Kobras, Sonnenscheiben und ›Lebens‹-Zeichen als Symbole fruchtbringender Kraft. Die Tragbänder bestehen aus separaten, an ihrer Rückseite sowie links und rechts von ›Perlen‹-Schnüren zusammengehaltenen Goldplatten mit Einlegearbeiten. Beide Bänder hängen von ›Schulterstücken‹ herab – einer Darstellung des Nechbet-Geiers im Fluge. ›Perlen‹-Schnüre verbinden die beiden Geier dann wiederum mit einem Paar aus Gold gearbeiteter Kobras, die die Schließe dieses Schmuckstückes bilden.

Auch dieses Gehänge stellt den Sonnengott bei Sonnenaufgang in seiner Barke dar. Von dem zuletzt gezeigten Brustschmuck unterscheidet es sich allerdings durch zusätzliche symbolische Elemente. So erblicken wir zu beiden Seiten des Skarabäus, der das <u>schen</u>-Zeichen (die Hieroglyphe für ›Unendlichkeit‹) in den Hinterbeinen hält, je einen Pavian auf einem goldenen Schrein. Nach der ägyptischen Mythologie begrüßten Pavianpaare die aufgehende Sonne – eine Vorstellung, zu der wohl das Kreischen der Paviane in der Morgendämmerung Anlaß bot. Die Mondscheiben und Mondsicheln auf den Pavianköpfen wollen hierzu nicht recht passen (obwohl gegen sie gar nichts einzuwenden ist, weil es sich beim Pavian ja um das Tier des Mondgottes Thot handelt). Über der Sonne und den beiden Monden: der gestirnte Himmel (Einlegearbeit aus Lapislazuli mit Goldsternen). Am unteren Bildrand: der Himmelsozean mit der Barke des Sonnengottes.

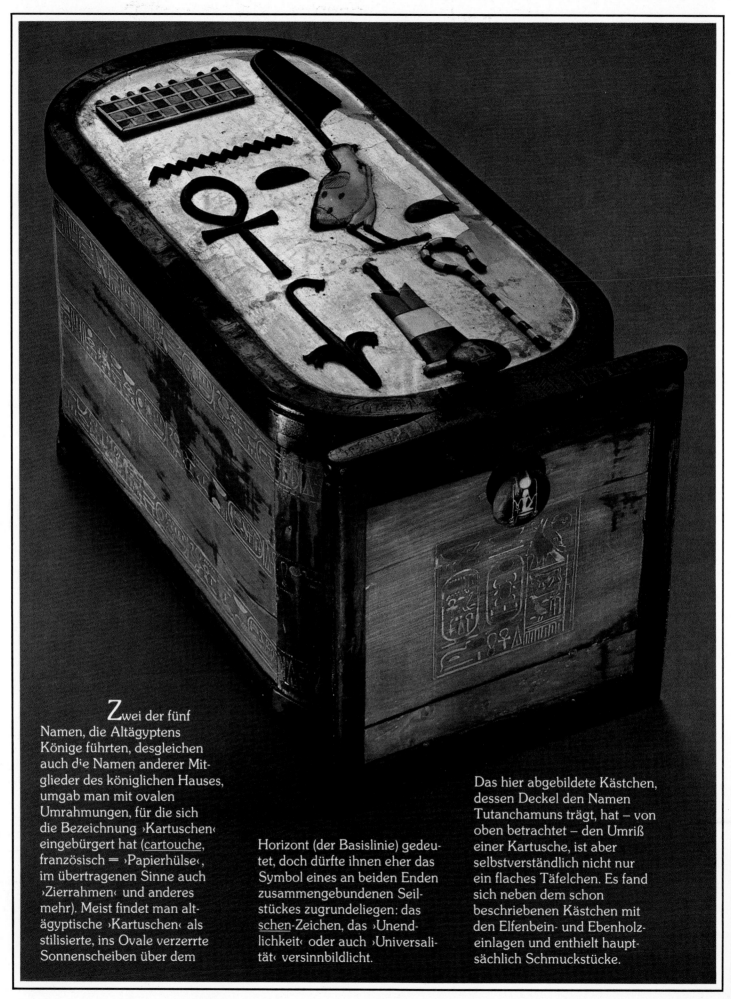

Zwei der fünf Namen, die Altägyptens Könige führten, desgleichen auch die Namen anderer Mitglieder des königlichen Hauses, umgab man mit ovalen Umrahmungen, für die sich die Bezeichnung ›Kartuschen‹ eingebürgert hat (cartouche, französisch = ›Papierhülse‹, im übertragenen Sinne auch ›Zierrahmen‹ und anderes mehr). Meist findet man altägyptische ›Kartuschen‹ als stilisierte, ins Ovale verzerrte Sonnenscheiben über dem Horizont (der Basislinie) gedeutet, doch dürfte ihnen eher das Symbol eines an beiden Enden zusammengebundenen Seilstückes zugrundeliegen: das schen-Zeichen, das ›Unendlichkeit‹ oder auch ›Universalität‹ versinnbildlicht.

Das hier abgebildete Kästchen, dessen Deckel den Namen Tutanchamuns trägt, hat – von oben betrachtet – den Umriß einer Kartusche, ist aber selbstverständlich nicht nur ein flaches Täfelchen. Es fand sich neben dem schon beschriebenen Kästchen mit den Elfenbein- und Ebenholzeinlagen und enthielt hauptsächlich Schmuckstücke.

Hölzernes Spiegelkästchen in
Form der ›Lebens‹-Hieroglyphe (<u>anch</u> heißt
›Leben‹, aber auch ›Spiegel‹).

Ohrringe aus Gold mit Zellenwerk.
Dargestellt sind Vögel mit Entenköpfen und
Falkenschwingen.

Halsband mit goldenem Anhänger:
der Mond in seiner Himmelsbarke. In den
Wassern des Himmels wachsen Lotosblumen.

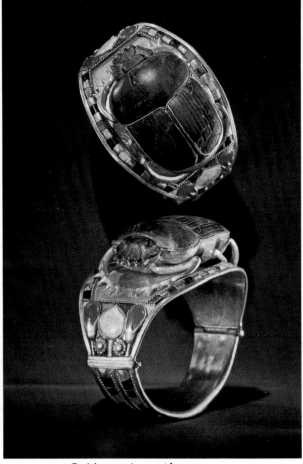

Goldener Armreif mit einem
Skarabäus aus mit Lapislazuli gefüllten Gold-
zellen sowie Blüten und Mandragora-Früchte.

Mit Elfenbein sind die senkrechten und waagerechten Leisten dieses Zedernholz-Schmuckkastens belegt; die Felder dazwischen zieren je vier Gruppen in durchbrochener Arbeit ausgeführter Hieroglyphenzeichen. Jede Gruppe besteht aus einem von ›Herrschafts‹-Zeichen (Szeptern) flankierten ›Lebens‹-Zeichen (der anch-Hieroglyphe) über dem Zeichen für ›alle(s)‹. Die Hieroglyphentexte auf den Leisten wiederholen mehrmals Tutanchamuns fünf Namen sowie seine Titel zusammen mit gewissen geläufigen Epitheta. Zweimal wird an der Stirnseite auch die Königin Anchesenamun erwähnt. Daran schließt sich der Wunsch an, sie möge »allezeit leben«. Die vier Füße des Schmuckkastens sind mit Silber umkleidet. Im Innern des Kastens fällt die Unterteilung in sechzehn gleichgroße Fächer auf. Ihre Bestimmung war es wohl, Gefäße – möglicherweise Gold- und Silbergefäße – aufzunehmen. Allerdings befand sich nichts dergleichen in ihnen, als man den Kasten entdeckte. Die Gegenstände – es handelt sich um Objekte unterschiedlicher Art (zwei davon sind auf den folgenden Seiten abgebildet) –, mit denen die Friedhofsbeamten den Kasten wieder füllten, nachdem die Räuber ihr Werk getan hatten, gehörten ganz sicher nicht zum ursprünglichen Kasteninhalt.

Ägyptische Schreiber schrieben nicht mit Federn, sondern mit einer Art Pinsel. Ihr Schreibgerät bestand aus kurzen, schlanken Binsen – schräg zugespitzt an dem Ende, mit dem man schrieb, und dann weichgekaut, so daß sich die einzelnen Fasern voneinander lösten, was den pinselartigen Effekt ergab. Im allgemeinen bewahrte man zu Tutanchamuns Zeit derartige Binsen im hohlen Inneren von Schreibpaletten auf. Diese Paletten bestanden gewöhnlich aus Holz oder Elfenbein und besaßen an einer Seite auch zwei Eintiefungen für harte, trockene, rote Farbmasse und schwarze Tusche. Bevor es allerdings derart komplexes Schreibzeug gab, pflegten die Schreiber ihre Binsen in Behältern des abgebildeten Typs aufzubewahren, deren Pracht allerdings nicht im entferntesten an das hier gezeigte Exemplar heranreichte. Dieser Schreibbinsen-Behälter des Königs besteht aus mit Goldfolie überzogenem Holz und ist mit farbigen Glas- und Halbedelstein-Einlagen geschmückt. Auch seine Form ist etwas Besonderes, repräsentiert er doch eine Weiterentwicklung der einfachen Schilfrohr-Grundform zum Palmensäulen-Modell.

Schon in recht früher Zeit schrieb man mit Tusche auf Papyrus – ein Beschreibmaterial aus dem Mark der Papyrusstaude, aus dem lange, dünne Streifen geschnitten wurden, die man zu mehreren nebeneinanderlegte; darüber kam kreuzweise eine weitere Schicht. Beide Lagen wurden dann solange gehämmert, bis die Streifen fest aneinanderhafteten. Allerdings mußte man zuvor den Papyrus, sobald er getrocknet war, noch glätten. Dafür gab es eigene Werkzeuge aus Holz. Auch in Tutanchamuns Grab fand sich ein Gerät dieser Art – in diesem Fall allerdings aus Elfenbein. Zerbrechlich, wie es war, fand es freilich kaum je praktische Verwendung, sondern dürfte eher irgendeine symbolische Funktion im Zusammenhang mit dem Totenritual gehabt haben. Es ist aus zwei Elfenbeinstücken gearbeitet: Der obere Teil ist ganz am äußeren Rand mit Gold überzogen, der untere stellt eine stilisierte Lilie mit Stengel und Blüte dar.

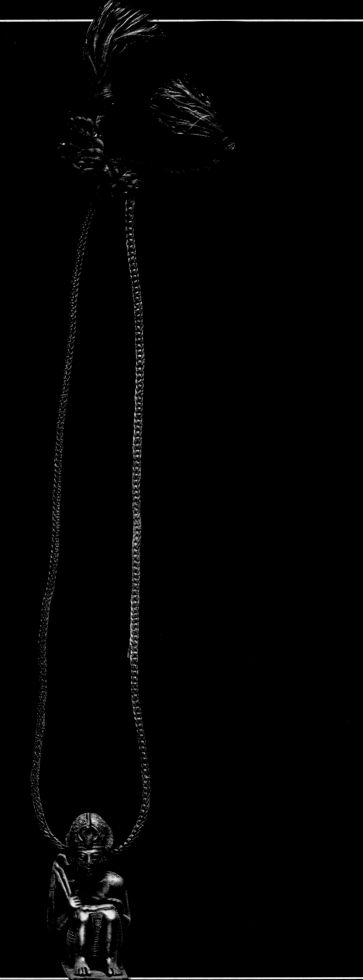

Dieses Sitz- oder
vielmehr ›Hockfigürchen‹ aus
massivem Gold (Höhe: 5 cm) fand
man, in ein Stück Leinen gewickelt,
in einem Satz aus drei ineinander-
geschachtelten, vergoldeten
Miniatursärgen. Der innerste dieser
Särge trägt den Namen der Königin
Teje – der Gemahlin
Amenophis' III., eines der letzten
Vorgänger Tutanchamuns – und
enthielt eine Locke ihres kastanien-
braunen Haares. Man hielt das
Figürchen daher für eine Darstellung
Amenophis' III., dessen Name aber
auf keinem der drei Särge anzu-
treffen ist. Dafür findet sich Tutanchamuns Name sowohl am äußersten
Sarg als auch an dem Sarg, der diese
Miniaturplastik enthielt. Darum ist
es durchaus nicht unwahrscheinlich,
daß der hier Dargestellte kein
anderer als Tutanchamun ist. In der
Regel waren Halsgehänge nicht nur
Schmuckstücke, sondern hatten
gleichzeitig Amulettcharakter oder
dienten irgendwelchen anderen
religiösen Zwecken. Ein Figürchen
eines hockenden Königs im
Zeremonialgewand mit Krummstab und Dreschflegel ist aber
höchst ungewöhnlich.

Wie eine Uschebti-
figur liegt dieses Holzmodell der in
Leichentücher gehüllten Mumie
Tutanchamuns auf einer Totenbahre
mit Löwenköpfen in einem kleinen
Sarg. Ein sogenannter »Seelenvogel« (ba-Vogel) mit Menschenkopf

und ein Falke, die beide ihre
Schwingen schützend um den Leib
des Verstorbenen breiten, repräsen-
tieren zwei der Formen, unter denen
man sich die Seele des Verstorbenen
nach dem Tode weiterlebend dachte.
Es handelt sich bei diesem Modell

um die Totengabe eines Würden-
trägers namens Maja – möglicherweise war dies jener Beamte der
königlichen ›Friedhofsverwaltung‹,
dem die Wiederherstellung des
Grabes nach dem Einbruch der
Grabräuber oblag.

Zweiundzwanzig schwarze, hölzerne Schränkchen nahmen den größten Teil der Schatzkammer-Südwand ein. Alle hatten mit versiegelter Schnur verschlossene Flügeltüren. Den Inhalt bildeten vom Kopf an abwärts in Tücher gehüllte Götterbilder. Eines davon stellt Ptah dar, den Patron der Künstler und Handwerker. Sein Kultzentrum war Memphis – Ägyptens Hauptstadt zur Pyramidenzeit. Nach Ansicht der dortigen Priesterschaft hatte Ptah die Welt, die Götter, ja sämtliche Lebewesen dadurch erschaffen, daß er ihre Namen rief, wie sein Herz es ihm eingab. Bisweilen nannte man Memphis auch Hut-ka-ptah (wörtlich: ›ka-Haus [= etwa Heiligtum] des Ptah‹). In Keilschrifttexten wurde daraus Hekuptah, was die Griechen wiederum zu Aigyptos verballhornten, und hieraus entstand schließlich der Landesname ›Ägypten‹. Die hier abgebildete, vergoldete Skulptur zeigt Ptah in einem Federgewand mit einer Kopfbedeckung aus blauer Fayence sowie den Symbolen für ›Leben‹ (anch) und ›Beständigkeit‹ (djed).

Oben auf den Schränkchen standen vierzehn Schiffsmodelle, alle mit dem Bug nach Westen. Es gab noch mehr Schiffe in der Schatz- und Seitenkammer, so daß Carter von einer »ganzen Flotte« sprach. Daß man Schiffe bzw. Boote und Bootsmodelle (oder deren gemalte oder skulptierte Nachbildungen) in Gräbern aufstellte (bzw. anbrachte, sofern es sich um Malereien handelte), war einer der ältesten ägyptischen Totenbräuche. Auch zu Tutanchamuns Grabausstattung gehörte also eine ›Flotte‹ von Wasserfahrzeugen jeder Art und für jeden Bedarf im Jenseits, so daß der König allen Anforderungen, die das Leben nach dem Tode an seine Mobilität stellte, gewachsen war. In einigen Fällen handelte es sich um voll aufgetakelte Schiffe mit Mast und Quersegel, in anderen dagegen um Gondeln, Barken oder Kanus verschiedenen Typs, so daß der Verstorbene nicht nur zu den ›Gefilden der Seligen‹ übersetzen, sondern auch den Sonnengott bei dessen Fahrt durch die Unterwelt und über den Himmelsozean begleiten konnte. Die Schiffsrümpfe wurden durch Holzdübel zusammengehalten und waren größtenteils in leuchtenden Farben bemalt oder vergoldet. Die meisten Flußboote besaßen zwei lange Ruder zum Steuern, die sich in emporragenden Stützgabeln bewegten.

Zwei von sieben Statuetten Tutanchamuns standen in einem Schränkchen zusammen. Beide zeigen den König auf dem Rücken eines Leoparden und ganz offensichtlich in der Unterwelt. Jedenfalls gibt es eine Parallele zu dieser Art der Darstellung in einem Grab aus späterer Zeit, wo man Sethos II. in der Unterwelt erblickt – allerdings auf dem Rücken eines Löwen. Der Leopard ist schwarz wie alle Unterweltsbewohner – gleich, ob Tiere, Menschen oder Götter –, weil diese in ständiger Dunkelheit lebten, von jenem kurzen Glanz abgesehen, den ihnen allnächtlich der Sonnengott bei seiner Durchreise brachte. Der König dagegen gehörte in den Bereich des Sonnenhaften: seine Farbe ist schimmerndes Gold.

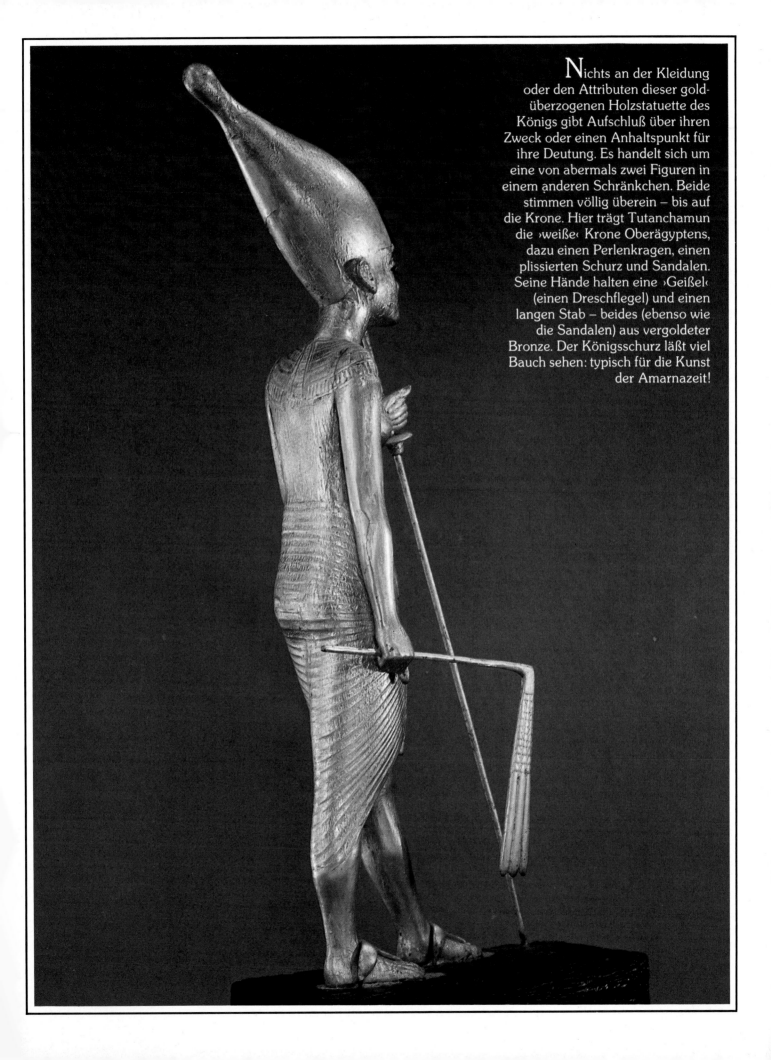

Nichts an der Kleidung oder den Attributen dieser goldüberzogenen Holzstatuette des Königs gibt Aufschluß über ihren Zweck oder einen Anhaltspunkt für ihre Deutung. Es handelt sich um eine von abermals zwei Figuren in einem anderen Schränkchen. Beide stimmen völlig überein – bis auf die Krone. Hier trägt Tutanchamun die ›weiße‹ Krone Oberägyptens, dazu einen Perlenkragen, einen plissierten Schurz und Sandalen. Seine Hände halten eine ›Geißel‹ (einen Dreschflegel) und einen langen Stab – beides (ebenso wie die Sandalen) aus vergoldeter Bronze. Der Königsschurz läßt viel Bauch sehen: typisch für die Kunst der Amarnazeit!

Nach der Legende hatte
Seth – eine mit entschieden
negativen Wertungen besetzte
Gestalt der altägyptischen Mythologie – mit seinem Gefolge den
Plan gefaßt, den Sonnengott Rê-
Harachte umzubringen. Doch als
er von dem Plan erfuhr, ersuchte
Rê-Harachte Horus, den Feind
anzugreifen. Als Seth und die
Seinen daraufhin gleich beim ersten
Treffen schwere Verluste erlitten,
verwandelten sie sich in Krokodile
und Flußpferde. Horus und sein
Gefolge griffen sie mit Harpunen an
und blieben siegreich. Allerdings
hat man diesen Mythos wohl so zu
verstehen, daß der Kampf zwischen
Gut und Böse noch nicht beendet
ist, sondern weitergeht und erst in
Zukunft entschieden wird; jeder
König nahm, so glaubte man, ein
Stück weit an dieser Auseinandersetzung teil – war er doch Horus'
Verkörperung auf Erden und hatte
in dieser Eigenschaft die Kräfte des
Bösen im Zaum zu halten. So stellt
auch das hier abgebildete, vergoldete Holzfigürchen Tutanchamun als Horus dar, der seine
Harpune auf eines der Nilpferde
oder Krokodile Seths schleudert.

Dieses in kräftigen Farben bemalte Bootsmodell ohne Segel und Ruder stellt wohl einen Lastkahn dar, der nicht selbst segelte oder gerudert wurde, sondern Teil eines Schleppzuges war. Vielleicht beförderte man auf derartigen Booten bei Tutanchamuns Begräbnis die Trauergäste und Grabgaben. Doch mag diesem Bootsmodell auch die Aufgabe zugedacht gewesen sein, dem toten König bei seinen Pilgerfahrten zu dienen, die er nach altägyptischen Jenseitsvorstellungen zu heiligen Stätten wie Abydos oder Busiris unternahm – wenn es nicht einfach an den uralten Brauch erinnern sollte, die Körper verstorbener Könige in der Zeit zwischen Einbalsamierung und Beisetzung tatsächlich an die genannten Orte zu bringen.

Mittschiffs die doppelstöckige Hauptkabine mit ihren aufgemalten Türen und Fenstern. An Bug und Heck befinden sich auf seitlich über die Bordwand ragenden, erhöhten Decks weitere Kabinen für die Mannschaft, wenn man die betreffenden Aufbauten nicht als eine Art ›Ausguck‹ zu betrachten hat. Zwei Steuerruder liegen in ihren Halterungen, die von einem Balken-Querrahmen vor dem Achterschiff fest in Position gehalten werden.

Eine flache, länglliche Kiste unter einer Truhe enthielt eine hölzerne Hohlform – eine Art Trog mit erhöhtem Rand – in Osirisgestalt: das sogenannte ›Osirisbett‹. Derartige ›Osirisbetten‹ gab es in Tempeln und Gräbern. Die in den Tempeln füllte man zweimal jährlich mit Erde, in die man Getreide säte. Beim Totenkult wickelte man das Bildwerk, sobald die keimenden Kornhalme eine Höhe von etwa 25 cm erreicht hatten, wie eine Mumie in Tücher und Binden (Bild links). Durch das Grünen der Saat gewann die tote Form Leben – Sinnbild der Wiedererweckung des toten Osiris' und damit auch des Königs.

Zur Zeit Tutanchamuns nannte man Totenfiguren, die wie Mumien gestaltet, aber an Kopf und Hals von Mumientüchern frei waren, schawabti – vielleicht, weil sie ursprünglich aus dem Holz des Persea-Baumes (altägyptisch: schawab) gearbeitet waren. In deutschsprachigen Veröffentlichungen pflegt man für derartige Statuetten einen anderen altägyptischen Ausdruck zu verwenden – wir nennen sie uschebti (›Antwortende‹), was sich auf die ihnen zugedachte Aufgabe bezieht: zu ›antworten‹ (und stellvertretend einzuspringen), wenn der Verstorbene, dem sie mit ins Grab gegeben waren, im Jenseits zu (insbesondere landwirtschaftlicher) Arbeit aufgerufen wurde. Die Zahl der mit einem Toten bestatteten uschebti-Figuren schwankt. Tutanchamun verfügte über 413. In anderen Gräbern dagegen gab es 401 – je eine uschebti-Figur für jeden Tag des Jahres und dazu 36 ›Vorarbeiter‹ für Gruppen zu je 10. Das hier abgebildete, hölzerne uschebti-Figürchen mit den Zügen Tutanchamuns sowie den Osiris-Attributen Krummstab und ›Geißel‹ war eine Totengabe des altägyptischen ›Generals‹ Min-Nacht.

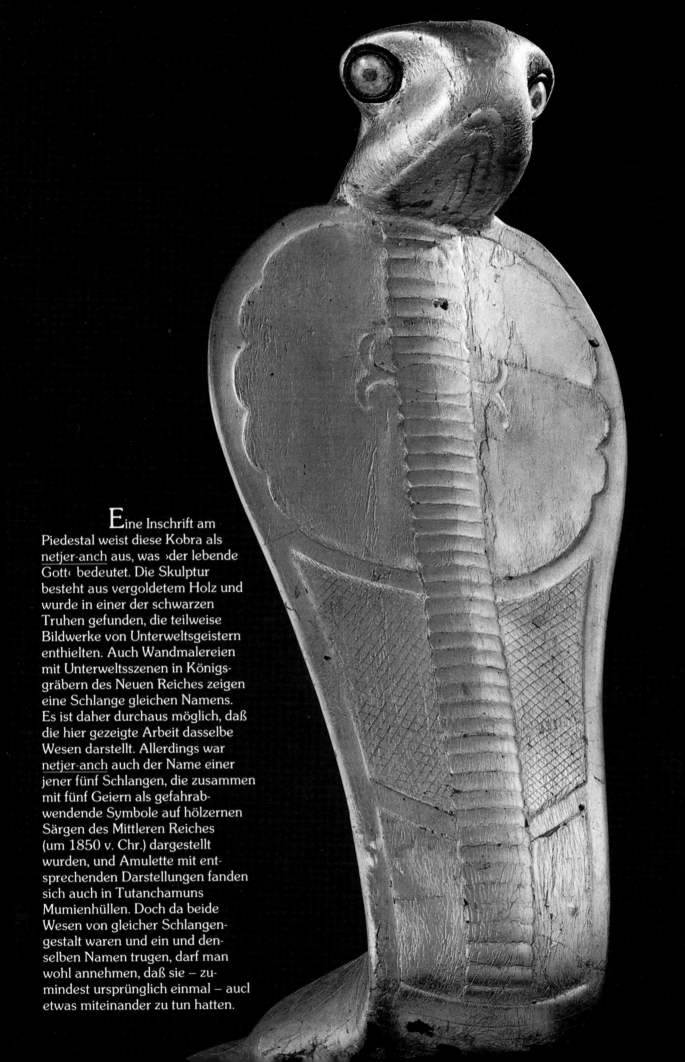

Eine Inschrift am Piedestal weist diese Kobra als netjer-anch aus, was ›der lebende Gott‹ bedeutet. Die Skulptur besteht aus vergoldetem Holz und wurde in einer der schwarzen Truhen gefunden, die teilweise Bildwerke von Unterweltsgeistern enthielten. Auch Wandmalereien mit Unterweltsszenen in Königsgräbern des Neuen Reiches zeigen eine Schlange gleichen Namens. Es ist daher durchaus möglich, daß die hier gezeigte Arbeit dasselbe Wesen darstellt. Allerdings war netjer-anch auch der Name einer jener fünf Schlangen, die zusammen mit fünf Geiern als gefahrabwendende Symbole auf hölzernen Särgen des Mittleren Reiches (um 1850 v. Chr.) dargestellt wurden, und Amulette mit entsprechenden Darstellungen fanden sich auch in Tutanchamuns Mumienhüllen. Doch da beide Wesen von gleicher Schlangengestalt waren und ein und denselben Namen trugen, darf man wohl annehmen, daß sie – zumindest ursprünglich einmal – aucl etwas miteinander zu tun hatten.

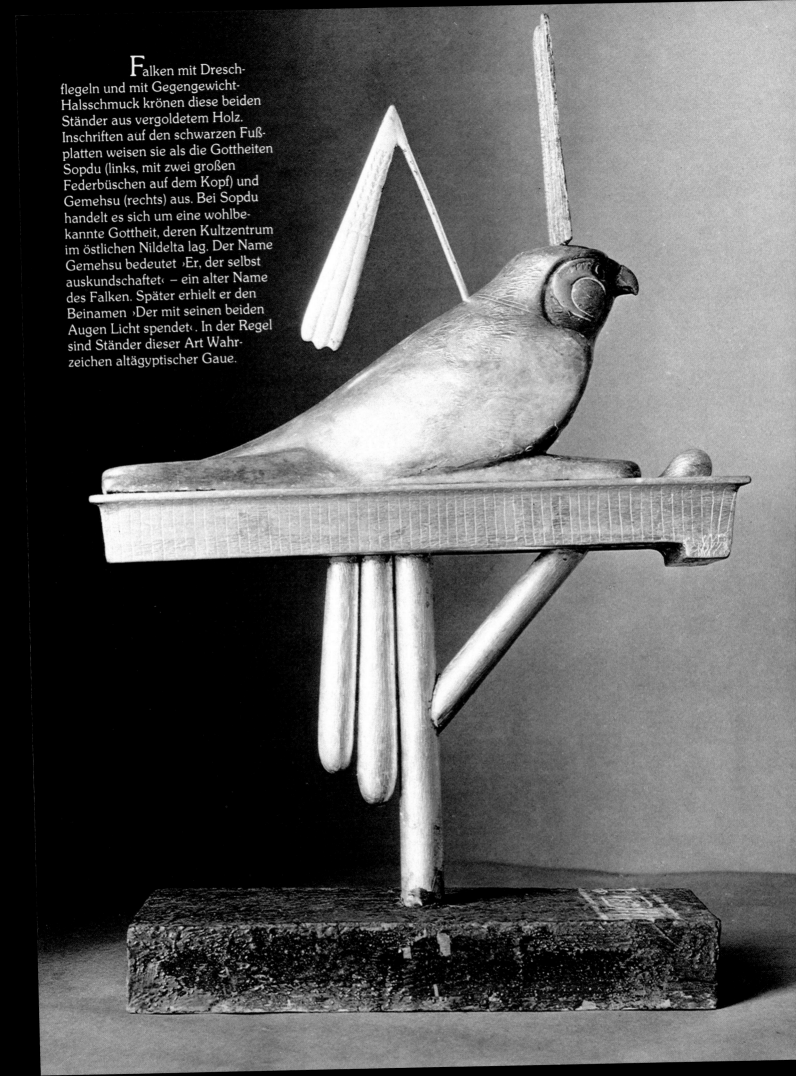

Falken mit Dresch-
flegeln und mit Gegengewicht-
Halsschmuck krönen diese beiden
Ständer aus vergoldetem Holz.
Inschriften auf den schwarzen Fuß-
platten weisen sie als die Gottheiten
Sopdu (links, mit zwei großen
Federbüschen auf dem Kopf) und
Gemehsu (rechts) aus. Bei Sopdu
handelt es sich um eine wohlbe-
kannte Gottheit, deren Kultzentrum
im östlichen Nildelta lag. Der Name
Gemehsu bedeutet ›Er, der selbst
auskundschaftet‹ – ein alter Name
des Falken. Später erhielt er den
Beinamen ›Der mit seinen beiden
Augen Licht spendet‹. In der Regel
sind Ständer dieser Art Wahrzeichen altägyptischer Gaue.

Alle Darstellungen Tutanchamuns auf Streit- oder Jagdwagen zeigen an der Wagenseite einen Bogenkasten. Hier ein sehr schönes Beispiel eines solchen Bogenfutterals. Es besteht aus Holz und weist beidseitig den gleichen Schmuck auf. Offensichtlich gehörte es zu einem der Jagdwagen in der Schatzkammer, bei denen es gefunden wurde. Das Goldblechrelief des Mittelfeldes zeigt den von seinen Hunden begleiteten König auf der Jagd. Die angrenzenden Dreiecksfelder sind in Flächenarbeit (Intarsientechnik) aus verschiedenfarbigen Rinden, gefärbtem Leder und Blattgold gestaltet. Auf ihnen erblickt man in einer Wüstenlandschaft mit den für sie typischen Pflanzen das Jagdwild des Königs: Steinböcke, Oryxantilopen, Kama-Antilopen und eine Streifenhyäne, die allerdings als typisches Nachttier hier etwas aus dem Rahmen fällt.

DIE SEITENKAMMER

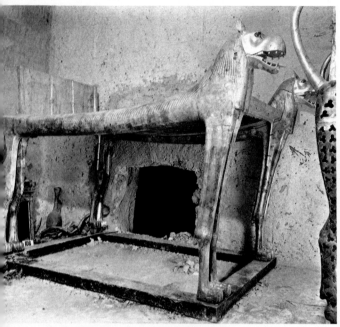

Erst fünf Jahre, nachdem er das Grab zum ersten Mal betreten hatte, konnte Carter mit seiner Arbeit in der letzten der vier Grabkammern beginnen, die er als ›Seitenkammer‹ bezeichnete. Ihr niedriger Eingang lag hinter der ›Bahre‹ mit den Nilpferdköpfen, und das Loch, das die Grabräuber hier gebrochen hatten, war von den Friedhofsbeamten nicht wieder repariert worden. Dahinter befand sich dieser Raum – etwas kleiner als die ›Schatzkammer‹. Hier hatte man gar nicht erst versucht, nach den Grabräubern wieder Ordnung zu schaffen. Alles lag noch drunter und drüber, gerade so, wie es die Grabräuber hinterlassen hatten. Ja, auf dem weißen Deckel eines Bogenkastens sah man sogar noch ihre Fußabdrücke (erkennbar auf der Aufnahme rechts), und auf einigen Gefäßen, deren kostbaren Salbenschmuck die Einbrecher in leichter transportierbare Beutel umgegossen hatten, waren auch ihre Fingerabdrücke zurückgeblieben.

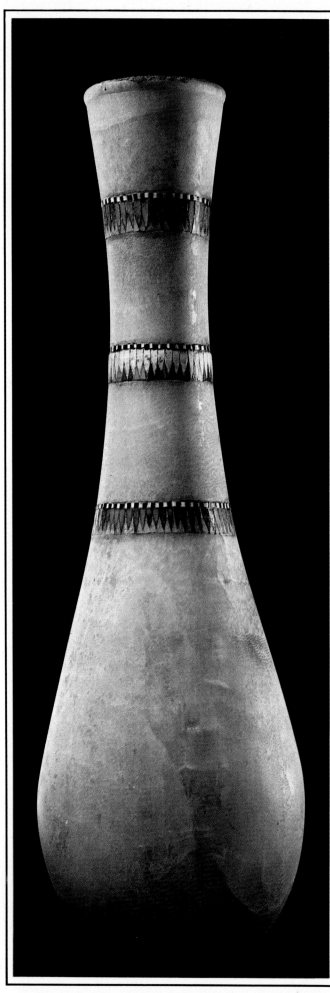

Nicht nur auf Gold und Silber hatten es die antiken Grabräuber abgesehen, sondern auch auf die kostbaren Öle und Salben, von denen Tutanchamuns Grab nicht weniger als rund 400 Liter enthielt. Die Hauptmasse der duftenden Essenzen war in 34 Alabastergefäße abgefüllt, die in der Seitenkammer gefunden wurden – zumeist leer. Ein kleiner Rest Öl war in der hier abgebildeten Flasche zurückgeblieben, doch ließ sich nicht mehr näher bestimmen, um welche Art von Öl es sich handelte. Die Bänder am Hals des schlanken Gefäßes stellen von Schnüren herabhängende Lotos-Blütenblätter dar und bestehen aus Einlagen von blauer Fayence und weißem Kalkstein.

Zwei verschiedene Spiele konnte man auf diesem kastenartigen Spielbrett spielen, das auf einem Gestell aus Ebenholz ruht und selbst mit Ebenholz furniert ist. Auf der einen Seite enthält es dreißig mit Elfenbein ausgelegte Felder, von denen fünf Inschriften aufweisen. Diese Seite war für das sogenannte senet-Spiel bestimmt. Auf der anderen Seite dagegen spielte man ein Spiel, das tjau (›Diebe‹) genannt wurde. Hierzu brauchte man nur zwanzig Felder, von denen drei Inschriften tragen. Spielsteine und Knochenwürfel oder Wurfstäbchen lagen in einem Schubfach an einer der Spielbrett-Schmalseiten. Über die Spielregeln wissen wir allerdings so gut wie nichts.

Nach einer sehr ver-
breiteten Legende entstand das
Universum durch die Trennung des
durch die Göttin Nut verkörperten
Himmels von der Erde, die sich in
dem Gott Geb personifizierte.
Schu, der Luftgott, bewirkte diese
Trennung, indem er auf der Erde
kniete und den Himmel emporhob.
Dieser Akt muß ständig wiederholt
werden, damit der Himmel nicht
auf die Erde herabstürzt und erneut
das Chaos hereinbricht. Die hier
gezeigte Kopfstütze, eine Elfenbein-
schnitzerei, zeigt Schu in Aktion.
Auf beiden Schultern trägt er das
Hieroglyphenzeichen für ›Schutz‹.
Die beiden Löwen ›Gestern‹ und
›Morgen‹ – zwei fast vollplastisch
ausgearbeitete Schnitzarbeiten –
symbolisieren die beiden Berge am
östlichen und westlichen Ende der
Erde und damit den Auf- und
Niedergang der Sonne.

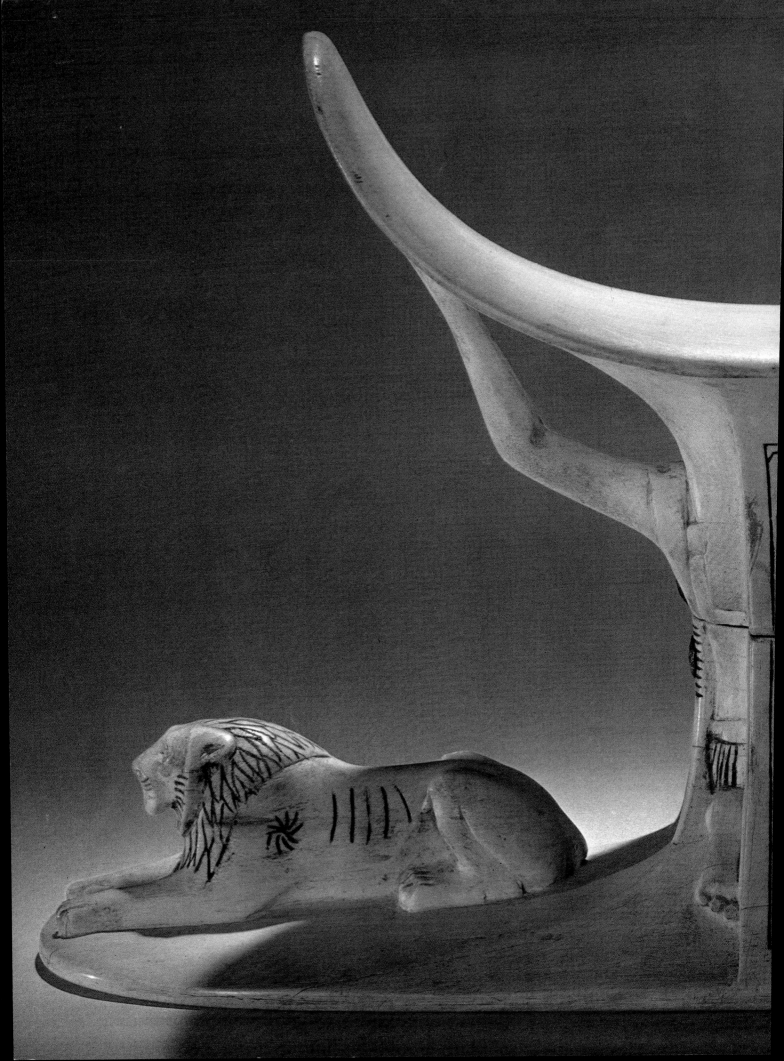

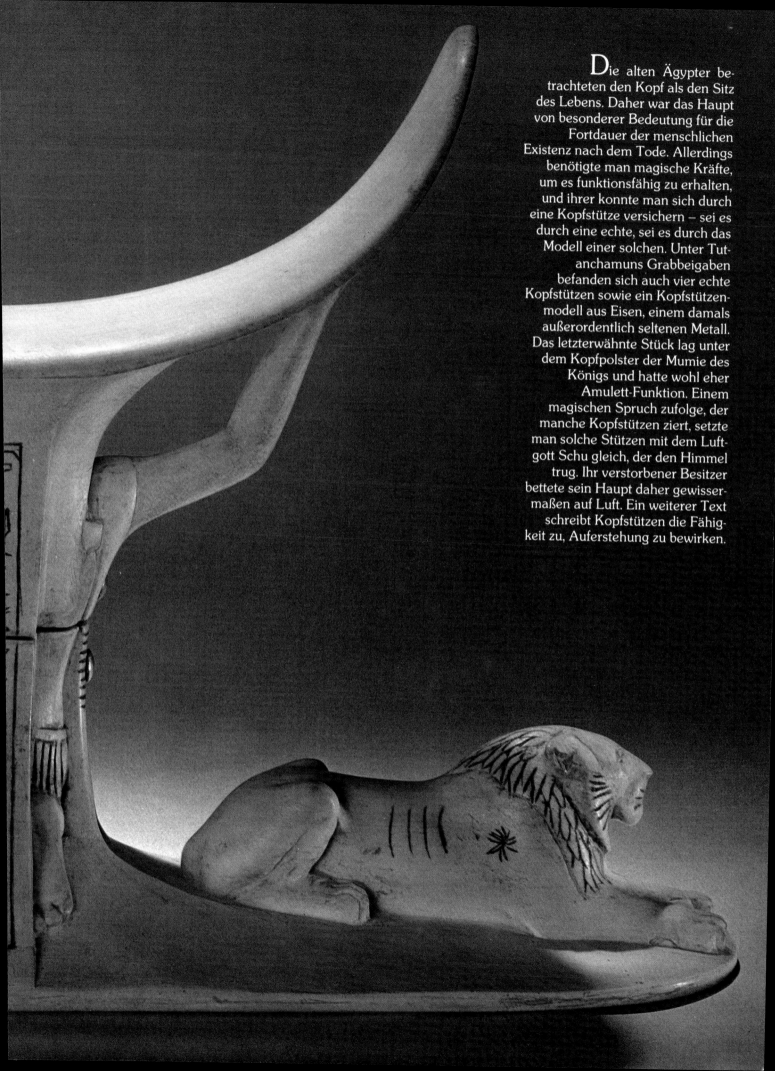

Die alten Ägypter be-
trachteten den Kopf als den Sitz
des Lebens. Daher war das Haupt
von besonderer Bedeutung für die
Fortdauer der menschlichen
Existenz nach dem Tode. Allerdings
benötigte man magische Kräfte,
um es funktionsfähig zu erhalten,
und ihrer konnte man sich durch
eine Kopfstütze versichern – sei es
durch eine echte, sei es durch das
Modell einer solchen. Unter Tutanchamuns Grabbeigaben
befanden sich auch vier echte
Kopfstützen sowie ein Kopfstützen-
modell aus Eisen, einem damals
außerordentlich seltenen Metall.
Das letzterwähnte Stück lag unter
dem Kopfpolster der Mumie des
Königs und hatte wohl eher
Amulett-Funktion. Einem
magischen Spruch zufolge, der
manche Kopfstützen ziert, setzte
man solche Stützen mit dem Luftgott Schu gleich, der den Himmel
trug. Ihr verstorbener Besitzer
bettete sein Haupt daher gewisser-
maßen auf Luft. Ein weiterer Text
schreibt Kopfstützen die Fähig-
keit zu, Auferstehung zu bewirken.

An die vierzig Objekte enthält dieser Stapel an der Wand links vom Eingang der Seitenkammer. Im Vordergrund der weiße Bogenkasten – derselbe, dessen Deckel noch Fußspuren der Grabräuber erkennen läßt (wir sahen ihn bereits auf einer früheren Aufnahme, die entstand, als die Gegenstände vor dem Bogenkasten noch nicht beiseitegeräumt waren).

Am meisten fällt ein Bett auf. Es liegt, auf die Seite gekippt, ganz oben auf dem Stapel und ist eine von insgesamt sechs Bettstellen in diesem Grab. An der Unterseite des Bettrahmens sind zwei Querstreben zu erkennen. Sie sind nach unten gekrümmt, so daß sich das Geflecht der Liegefläche nicht zu sehr durchbiegen kann – auch dann nicht, wenn es sich ein schwergewichtiger Schläfer auf dieser Liegestatt bequem macht.

Das größte Objekt in dem Stapel links von diesem Bett ist der sogenannte ›Priesterstuhl‹; darunter auf dem Boden und fast unsichtbar eine Alabastervase in Form eines blökenden Steinbocks. Gleichfalls auf dem Boden, doch viel weiter rechts, liegen die ›Löwenvase‹ (ein Salbengefäß aus Alabaster) und ein Alabaster-Boot. Aufnahmen sämtlicher Stücke finden sich auf den folgenden Seiten.

Salbengefäße hatten oft die Gestalt des Bes, einer Schutzgottheit des häuslichen Lebens, der man auch nachsagte, den Frohsinn und die Geschlechtskraft zu fördern. Gewöhnlich stellte man Bes als mißgestalteten Zwerg mit Löwenohren, Löwenmähne und Löwenschwanz dar, bisweilen auch mit einem Löwenfell. Diesem Salbengefäß gab man offensichtlich die Form eines Löwen mit Blütenkrone ebenfalls nur deshalb, weil der Löwe auf die angedeutete Weise mit Bes in Verbindung stand. Das Tier erhebt sich aufrecht auf einem Fußgestell, seine Augen sind mit Gold ausgelegt und die Zähne sowie die weit heraushängende, rotbemalte Zunge bestehen aus Elfenbein. Die linke Pranke ruht auf dem Hieroglyphenzeichen für ›Schutz‹. Auf der Brust des Löwen: die Namen des Königs und der Königin.

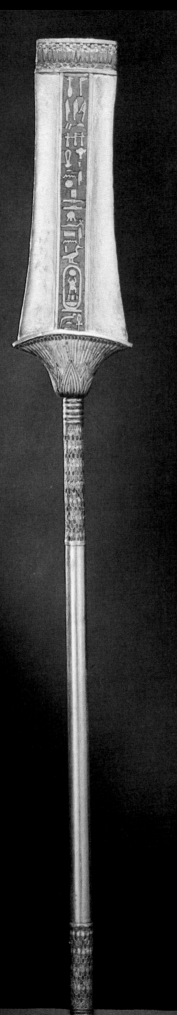

Dieses Königsszepter besteht aus mit dickem Goldblech beschlagenem Holz. Der Griff stellt einen Papyrusstengel mit Blüte dar und ist oben und unten mit reichem Federmuster in ägyptischer Zellentechnik verziert. Die Einlagen bestehen aus Karneol, Türkis, Lapislazuli, Feldspat, Fayence und Glas. Die Inschrift auf der hier abgebildeten Seite des ›Blattes‹ lautet: »Der gute Gott [= Tutanchamun], der Geliebte, dessen Antlitz strahlt wie Aton, wenn er scheint, der Sohn Amuns, Nebcheperurê, er lebe ewig.« Über dieser Inschrift: ein Fries aus Lotosblütenblättern. Die Rückseite zeigt gefesselte und geschlachtete Stiere.

Wie der aufgerichtete Löwe zwei Seiten zuvor diente auch dieser ruhende Steinbock als Salbölgefäß. Von der rotgefärbten Elfenbeinzunge und dem einen, echten Horn abgesehen, war er ganz aus Alabaster geschnitzt. Das zweite Horn, der Bocksbart und der Rand der Gefäßmündung fanden sich nicht. Bei den in Kupfer oder Bronze gefaßten Augen handelt es sich um Hinterglasmalerei. Mit Farbe wurden auch die verschiedenen Fellmuster sowie die Hufe aufgetragen, desgleichen die Königskartusche an der Schulterpartie. Der Künstler verstand es, die naturalistische Wirkung noch zu steigern, indem er das Tier mit leicht geöffnetem Maul und etwas hervorstehender Zunge darstellte, so daß man glaubt, es blöken zu sehen.

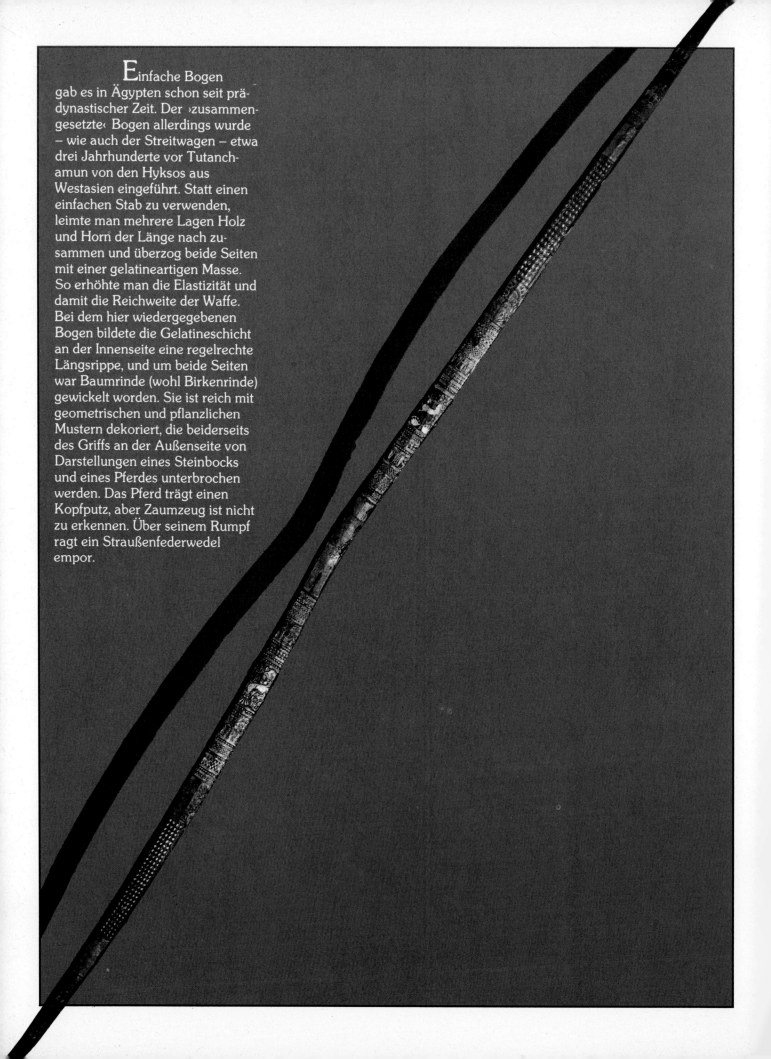

Einfache Bogen
gab es in Ägypten schon seit prädynastischer Zeit. Der ›zusammen-
gesetzte‹ Bogen allerdings wurde
– wie auch der Streitwagen – etwa
drei Jahrhunderte vor Tutanchamun von den Hyksos aus
Westasien eingeführt. Statt einen
einfachen Stab zu verwenden,
leimte man mehrere Lagen Holz
und Horn der Länge nach zusammen und überzog beide Seiten
mit einer gelatineartigen Masse.
So erhöhte man die Elastizität und
damit die Reichweite der Waffe.
Bei dem hier wiedergegebenen
Bogen bildete die Gelatineschicht
an der Innenseite eine regelrechte
Längsrippe, und um beide Seiten
war Baumrinde (wohl Birkenrinde)
gewickelt worden. Sie ist reich mit
geometrischen und pflanzlichen
Mustern dekoriert, die beiderseits
des Griffs an der Außenseite von
Darstellungen eines Steinbocks
und eines Pferdes unterbrochen
werden. Das Pferd trägt einen
Kopfputz, aber Zaumzeug ist nicht
zu erkennen. Über seinem Rumpf
ragt ein Straußenfederwedel
empor.

Auch gut 50 Jahre nach seiner Entdeckung fand sich für dieses Alabastermodell noch keine befriedigende Erklärung. Das Kunstwerk hat eine Länge von 71 cm und besteht aus einem Becken mit erhöhtem Mittelsockel, auf dem ein mit Steinbockköpfen an Bug und Heck geschmücktes Schiff ruht. Unter einem Baldachin, dessen Säulen ›zweistöckige‹ Kapitelle in Papyrus- und weißer Lotosblütenform haben, steht mittschiffs so etwas wie ein offener Sarkophag. Eine nackte Zwergin steuert das Schiff, eine zweite nackte Frauengestalt kniet, eine Lotosblume in der Hand, auf dem Vorderdeck. Carter hielt dieses Werk für einen ›Tafelaufsatz‹.

Mit dem Reichtum und der Fülle ihres Dekors stellt die Rückenlehne dieses Thrones – den man wegen seiner Ähnlichkeit mit mittelalterlichen Bischofsthronen ›Priesterstuhl‹ getauft hat – ein bemerkenswertes Beispiel altägyptischer Handwerkskunst dar. Aus Halbedelsteinen, farbigem Glas, Fayence und Elfenbein bestehen die Einlegearbeiten auf dem Goldblechgrund. Die Inschriften nennen den frühen Namen des Königs (Tutanchaton) und den Thronnamen (Tutanchamun); ein Relikt der Amarnazeit ist die große Sonnenscheibe (Aton) an der obersten Querleiste. Sitz und Beine – beides aus Ebenholz und mit Goldblech verziert – erinnern an den nachgeahmten Klappstuhl aus dem Vorraum. Das goldene Gitter zwischen den Querstäben wurde allerdings von Grabräubern beschädigt. Gefärbte Elfenbeineinlagen der Sitzfläche imitieren Tierfelle.

Ein Vergleich dieser Aufnahme mit einer ähnlichen, die wir bereits früher gezeigt haben, veranschaulicht Carters Methode, die Lage der Fundobjekte zu registrieren, ehe er die einzelnen Gegenstände abräumte. Bevor auch nur ein einziger Fund angerührt wurde, nahm der Expeditionsphotograph, Harry Burton, sämtliche Objekte so auf, wie sie auf dem Boden der jeweiligen Kammer herumlagen. Anschließend wurde jeder Gegenstand in greifbarer Nähe mit einem Schildchen versehen, das mit einer gut lesbaren Nummer bedruckt war. Und nun wurde eine zweite Aufnahme gemacht – diesmal mit den Nummernschildern an jedem einzelnen Gegenstand. Waren die Funde aus dem Grab geborgen, wurden sie erneut photographiert, diesmal einzeln, und man vermerkte charakteristische Details; nicht selten ergänzten Bleistiftskizzen die Lichtbilder.

Das größte Objekt auf dem nebenstehenden Bild ist ein mit dickem Goldblech überzogenes Ebenholzbett. Es hat geschnitzte Löwenbeine mit trommelartigen Endstücken, auf denen die Tatzen ruhen, eine geflochtene Liegefläche und am Brett des Fußendes wunderschöne Blumenmotive (siehe unten). Einzelne Stengel mit Papyrusblüten unterteilen das Brett in drei Zierfelder. Im mittleren erkennt man das symbolische Zeichen der Einigung Ober- und Unterägyptens: Papyrus und Lotos zum Hieroglyphenzeichen für ›Einigung‹ verschlungen. Die Seitenfelder zeigen dichte Büschel von Papyruspflanzen und wohl rotblühendem Rietgras. Den Abschluß nach beiden Seiten hin bilden Sträuße, die hauptsächlich aus Papyrus und Lotos bestehen.

Die Aufnahme zuvor
zeigt diesen Schemel zwischen
dem Bettgestell und der Wand.
Am augenfälligsten ist das vergoldete Gitterwerk zwischen Sitz
und allen vier Querstreben, das aus
den Sinnbildern der Einigung
Ober- und Unterägyptens besteht.
Die Papyruspflanze gedieh in den
Sümpfen des Nildeltas, und dies
hat der Künstler dadurch anzu-
deuten versucht, daß er die
Papyrusstengel aus einem Blätter-
fries emporwachsen ließ. Das
entsprechende Dekorelement unter
den Lotosstengeln dagegen gibt
wohl ein Stück Land wieder, durch
das sich Bewässerungskanäle
ziehen – Kanäle, die in Oberägyp-
ten den natürlichen Lebensraum
der Lotospflanze bildeten.

Ägyptische Drillbohrer-Feuerzeuge bestanden aus einem hohlen Griff (bzw. ›Kopf‹), einem Schaft, einem harten Bohrholz und einem weicheren Brettchen. Mit einer um den Schaft geschlungenen Bogensehne brachte man den Bohrer in den mit Harz behandelten Löchern des Brettchens zum Drehen. So entstand starke Reibungshitze, und durch die Kerben am Brettchenrand fielen Holzfunken in den ringsum aufgehäuften Zunder.

Drei Dutzend Vorratskrüge mit Rückständen von verdunstetem Wein lagen in der Seitenkammer, manche mit Binsen verschlossen und mit einer Lehm-›Kappe‹ versiegelt. Mit Tusche aufgetragene hieratische Inschriften geben Erntejahr, Herkunft und Namen des Winzers an – so hier: » Jahr 4, Wein vom Haus des Aton am Westufer, Oberwinzer Nen.«

486

Aus rötlichbraunem Holz – wohl Zedernholz – bestehen die Seitenwände dieses sich ganz modern ausnehmenden Schränkchens. Der aufklappbare Deckel bewegt sich in Bronzescharnieren. Ein durchbrochener Fries zwischen Schrankboden und Querstäben weist die Hieroglyphensymbole für ›Leben‹ und ›Herrschaft‹ auf. Der ursprüngliche Inhalt des Kastens wurde gestohlen, statt dessen legte man nachträglich vier Kopfstützen hinein, darunter auch das bereits gezeigte Exemplar aus Elfenbein.

Dieses dreiteilige, doppelt faltbare, transportable Klappbett mit Bronzescharnieren hat, auseinandergezogen, noch ein weiteres Beinpaar, das nach innen umklappbar ist, wenn man das Bett zusammengelegt hat. Die Bettwand am Fußende besteht aus glatten, einfachen Holzlatten, und sowohl das Rahmengestell als auch die aus Leinenstreifen geflochtene Liegefläche sind weißgestrichen. Die Füße ruhen auf Bronzetrommeln. Mehr als hundert Binsenkörbe von ausgezeichneter Arbeit kamen in der Seitenkammer ans Licht. Das flaschenförmige Stück (unten links) enthielt getrocknete Weinbeeren.

Diese aus Leinenzwirn geflochtene Schleuder (unten Mitte) fand sich in einer Spielzeugschachtel. Beim Schleudern eines Steins ließ man eine der beiden Halteschnüre los. Der Handschuh rechts ist in Fischschuppenmuster gewebt und hat am Stulpenansatz eine Kante aus Lotosknospen und Lotosblüten.

Fünfundzwanzig Fayencegefäße – bis auf eines alle von blaßblauer Farbe – fanden sich in einer schwer beschädigten Truhe. Diese Kanne (wohl ein Opfergefäß) repräsentiert einen als <u>nemset</u> bezeichneten Typ, den man oft auf Darstellungen ritueller Szenen abgebildet sieht. Derartige Gefäße stehen dann meistens auf Ständern oder Altären. Unterschiedlich sind die Tüllen. Im vorliegenden Fall scheint es sich um die Nachahmung einer entsprechenden Kupferform zu handeln. Bei Spendopfern wurde der Deckel abgenommen.

Den Granatapfel lernten die alten Ägypter mehr als hundert Jahre vor Tutanchamun bei Feldzügen in Syrien und Palästina kennen. Sie übernahmen ihn rasch, benutzten aber seinen semitischen Namen (hebräisch: <u>rimmon</u>) weiter. Die Form dieser Frucht ahmte man in Glas, Fayence, Elfenbein und anderen Materialien nach, auch in Silber, wie hier bei diesem Gefäß. Hals und Schulter zieren Bänder einziselierter Blütenblätter, ein weiteres Band von Kornblumen und wohl Olivenblättern umgibt den Gefäßleib.

Acht schlanke ›hes-Gefäße‹ aus blauer Fayence kamen in demselben Kasten zum Vorschein wie die bereits auf der vorletzten Farbtafel abgebildete, blaßblaue Fayencekanne. Gefäße dieses Typs benutzte man in der Regel für Libationen und rituelle Waschungen. Sie bestanden aus den unterschiedlichsten Materialien, meistens aber – wie hier – aus Fayence. Unter Fayence versteht man heute Keramik mit Zinnglasur. Altägyptische ›Fayencen‹ repräsentierten dagegen eine andere, schon in prädynastischer Zeit bekannte Keramikart. Sie bestand aus einer pulverisierten Masse stark quarzhaltigen Materials, das bis zum Binden des Kernes und zum Glasieren der Oberfläche erhitzt wurde. Die mehr oder weniger intensiven und abgestuften Grün- und Blautöne erzielte man durch unterschiedliche Beimengung von Kupfer.

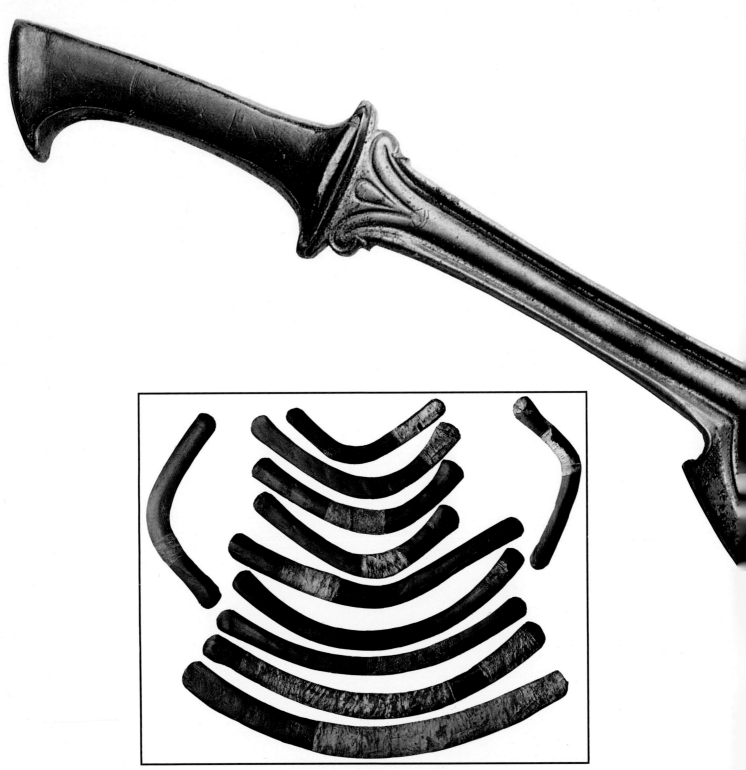

Ein Spruch, rund 500 Jahre älter als die Zeit Tutanchamuns, verheißt dem Verstorbenen, zu Tausenden würden sich Wasservögel erheben, wenn er im Jenseits in seinem Boot an ihnen vorüberführe, und wenn er seinen Bumerang auf sie schleudere, würden tausend zu Boden stürzen.

Wurfhölzer hatten zwar den Vorteil größerer Reichweite, aber sie kamen nicht wie der Bumerang zum Werfer zurück. Die umrandete Abbildung zeigt beide Arten von Wurfgeschossen.

Klinge, Heft und Griff dieses bronzenen Krummschwertes sind aus einem einzigen Guß, der Griff hat beiderseits Auflagen aus Ebenholz. Die ›Schneide‹, die konvexe Seite der Klinge, wurde nie geschliffen. Das Krummschwert war eine verhältnismäßig späte Errungenschaft der altägyptischen Kriegs- und Waffentechnik und kam wahrscheinlich aus Westasien. Zur Zeit des Neuen Reiches stellte man Könige mit Krummschwertern dar, die vermutlich als von den Göttern verliehenes Siegesunterpfand galten.

Dieser in durchbrochener Arbeit gestaltete Schild aus <u>gesso</u>-vergoldetem Holz diente wohl zeremoniellen Zwecken. Seine heraldisch-symbolische Darstellung zeigt den König, der zwei Löwen am Schwanz festhält und ein Krummschwert schwingt, um sie zu töten. Über dem Herrscher die geflügelte Sonnenscheibe des Horus von Edfu und hinter ihm der Nechbet-Geier mit den Kronen Ober- und Unterägyptens. Zwischen den gespreizten Geierflügeln erkennt man das <u>schen</u>-Zeichen (die Hieroglyphe für ›Unendlichkeit‹). Die ganze Szene spielt sich auf der Hieroglyphe für ›fremdes Land‹ ab – also im Ausland, dessen Bewohner, Ägyptens Feinde, durch die Löwen symbolisiert werden.
Ein rühmender Text preist Tutanchamuns Macht und Tapferkeit und setzt sie der Macht und Tapferkeit des Kriegsgottes Mont gleich.

Im Grab zum Vorschein gekommene Statuen und Statuetten Tutanchamuns zeigen den König in goldenen Sandalen. Derartige Sandalen bestanden aus Holz und besaßen Einlegearbeiten aus Rinde, grünem Leder und Blattgold auf ›Stuck‹-Grund (gesso-Grund). Ein weißer Gips- bzw. Stucküberzug bedeckt auch die Sohlenunterseite. Die Laschen über dem Spann sind aus Rinde, belegt mit sternförmig angeordneten Blattgold-Rauten. Auf der inneren Sohle erkennt man Abbildungen eines gefangenen Negers und eines Asiaten – beide sind mit Lotos- und Papyrusstengeln gefesselt. Darüber und darunter

befinden sich je vier Bogen. Zusammen mit den Gefangenen symbolisieren sie Ägyptens neun traditionelle Feinde, die der König jedesmal ›mit Füßen trat‹, wenn er die Sandalen anlegte. Dieser Sandalenschmuck hatte zu Tutanchamuns Zeit eine bereits mehr als tausendjährige Geschichte.

Die beschädigten Reifen (oben rechts) bestehen aus einzelnen, auf Bronze- bzw. Kupferringe aufgezogenen ›Perlen‹. Der obere Ring war in seiner ursprünglichen Form zweireihig. Die weißen ›Perlen‹ sind aus Alabaster und mit Quarz oder durchscheinendem Glas auf rotem Farbgrund ausgelegt. Aus Glas mit Goldeinlagen sind wohl auch die schwarzen ›Perlen‹. Bei diesen Reifen handelte es sich entweder um Kopf- oder Halsschmuck. Die Schmuckstücke rechts waren entweder Bein- oder – wahrscheinlicher – Armreifen. Der obere (rechte) Reif besteht aus kristallinem Kalk mit golddrahtgeränderten Lapislazuli-Einlagen. Seiner Form nach entspricht er Goldreifen, mit denen der König besondere Dienste belohnte. Der untere (linke) Reif ist aus Elfenbein, ihn ziert eine Bronze- bzw. Kupferplatte mit dem Namen des Königs.

An der Nordwand der Seitenkammer lagen hauptsächlich geflochtene Binsenkörbe, hier und da mit einem Weinkrug dazwischen. Dahinter freilich befanden sich noch einige Kisten und Kästen, von denen vor allem zwei besonders hervorgehoben werden sollten: der eine Kasten (Nr. 547) wegen seines Inhalts, der andere (Nr. 551) zusammen mit dem zugehörigen Deckel (Nr. 540) wegen seiner hervorragenden Arbeit. Um diesen Kasten geht es auf den folgenden Seiten. Kasten Nr. 547 enthielt den schon gezeigten Doppelreif und auch einen Teil einer Kappe, eine Kopfstütze, ein Armband und ein goldenes Schmuckstück. Am bemerkenswertesten ist aber wohl ein am Kastenboden befestigter Ständer für die Kopfbedeckung des Königs. Es handelt sich bei diesem Kasten also um eine Art ›Hutschachtel‹.

In seiner Form erinnert dieser Kasten an einen kapellenförmigen Schrein, nur daß hier nicht die Vertikale, sondern die Horizontale dominiert. Die Truhe besteht aus mit Elfenbein furniertem Holz. Den Deckel und die Seitenfelder zieren kolorierte Reliefs, »schön wie eine frühe griechische Gemme geschnitzt« (Carter). Sie gehören zum Erlesensten, was in diesem Grab gefunden wurde. Jede Szene wird von Girlanden und anderen Blumenmustern umrahmt, um die sich wiederum ein äußerer Rahmen aus roten und blauen Blockfeldmustern spannt, voneinander getrennt durch schwarze Ebenholz- und weiße Elfenbeinplättchen.

König und Königin sind noch ganz im Stil der kaum verflossenen Amarnaperiode dargestellt. Der augenfälligste Unterschied ist: Während Echnaton und Nofretete in der Regel als gleichgestellte Partner abgebildet sind, spielt Anchesenamun eine eher dienende Rolle als Tutanchamuns engste Vertraute, die dafür Sorge trägt, daß es dem König an nichts mangelt.

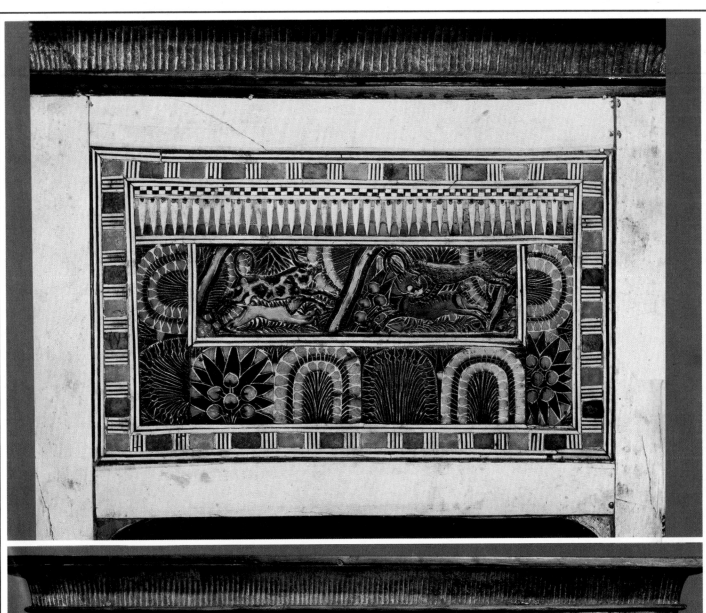

Der Unterschied in der Darstellung der Beziehungen zwischen König und Königin in der Amarnakunst und der Kunst der sich unmittelbar daran anschließenden Regierungsjahre Tutanchamuns kommt auch in diesem Relief auf dem Truhendeckel lebhaft zum Ausdruck, das Carter mit Recht als »unsigniertes Bild eines großen Meisters« bezeichnete. Die Szene spielt in einem reich mit Girlanden und anderem Pflanzenwerk geschmückten Pavillon. Die Säulen, die das von Weinlaub bedeckte Dach tragen, sind von Blumengewinden umgeben. Man erkennt in bestimmten Intervallen Klatschmohnkapseln; ganz oben zum Pavillon-Dach hin gibt es ganze Bündel, regelrechte ›Kapitelle‹ von Papyrus, Lotos und Klatschmohn. In der Laube lehnt, auf einen langen Stab gestützt, der König. Er streckt seine Hand nach zwei Sträußen aus Papyrus, Lotosblüten und Mohnkapseln aus, die die Königin ihm überreicht. Im Gegensatz zur lässigen Haltung des Königs hält Anchesenamun sich gerade und straff, so anmutig und entspannt ihre Bewegungen auch sind. Sie ist ganz die von Hingabe erfüllte Gefährtin, die ihren Gemahl zu erfreuen sucht und dabei keinen Augenblick vergessen läßt, daß ihr damit eine im Grunde dienende Aufgabe zugefallen ist.

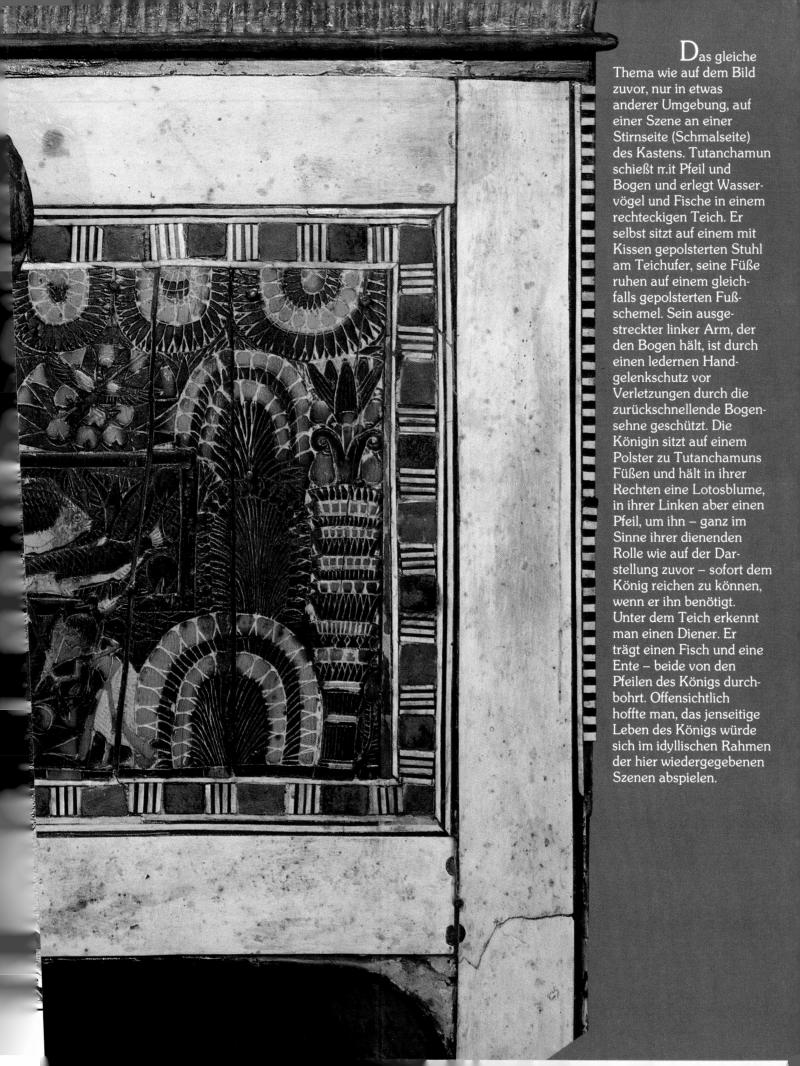

Das gleiche Thema wie auf dem Bild zuvor, nur in etwas anderer Umgebung, auf einer Szene an einer Stirnseite (Schmalseite) des Kastens. Tutanchamun schießt rr.it Pfeil und Bogen und erlegt Wasservögel und Fische in einem rechteckigen Teich. Er selbst sitzt auf einem mit Kissen gepolsterten Stuhl am Teichufer, seine Füße ruhen auf einem gleichfalls gepolsterten Fußschemel. Sein ausgestreckter linker Arm, der den Bogen hält, ist durch einen ledernen Handgelenkschutz vor Verletzungen durch die zurückschnellende Bogensehne geschützt. Die Königin sitzt auf einem Polster zu Tutanchamuns Füßen und hält in ihrer Rechten eine Lotosblume, in ihrer Linken aber einen Pfeil, um ihn – ganz im Sinne ihrer dienenden Rolle wie auf der Darstellung zuvor – sofort dem König reichen zu können, wenn er ihn benötigt. Unter dem Teich erkennt man einen Diener. Er trägt einen Fisch und eine Ente – beide von den Pfeilen des Königs durchbohrt. Offensichtlich hoffte man, das jenseitige Leben des Königs würde sich im idyllischen Rahmen der hier wiedergegebenen Szenen abspielen.

Wie Carter die einzelnen Funde barg, schilderten bereits die Tafelerläuterungen zuvor. Die Aufnahmen auf diesen Seiten verdeutlichen noch einmal drei Stufen dieses Prozesses. Links tragen Carter und sein Assistent Callender den Wagenkasten eines der Prunkwagen auf einer gepolsterten Trage über die Zugangspassage aus dem Grab. Die Aufnahme rechts daneben zeigt Alfred Lucas (sitzend) und Arthur Mace bei der Untersuchung, die sie jedem einzelnen Fund angedeihen ließen, sowie bei der Behandlung des geborgenen Objektes mit Chemikalien. Sämtliche Fundobjekte wurden sodann in Baumwolle oder Tücher gewickelt und in Holzkisten verpackt – die zerbrechlichsten legte man in Kleie. Zu guter Letzt gelangten die Kisten dann in festen Transportbehältern auf Carters Feldbahn ans Nilufer (rechts).

Mehr als acht Kilometer trennen das ›Tal der Könige‹ vom Nilufer. So viele Feldbahnschienen, um diese gesamte Entfernung zu überbrücken, hatte Carter nicht zur Verfügung. Dies bedeutete: Die Schienen mußten abgerissen und neuverlegt werden, sobald die Loren mit Funden aus dem Tal zum Nil unterwegs waren. Doch damit nicht genug: Das Gelände war zum großen Teil recht uneben, und steile Gefällstrecken waren keine Seltenheit. Dennoch ging der Transport mit fünfzig Helfern in fünfzehn Stunden sicher vonstatten. Am Strom angelangt, wurden die Kisten auf ein Dampfboot verladen, das der Antikendienst der ägyptischen Regierung zur Verfügung gestellt hatte, und eine Woche später waren sie im Museum zu Kairo. Nur wenige Gegenstände – so zum Beispiel die Goldmaske und der goldene Sarg Tutanchamuns – wurden mit der Bahn nach Kairo befördert. Fast alle anderen Funde gelangten auf dem Wasserwege dorthin. Tutanchamuns Mumie freilich blieb – im äußersten der drei Särge sowie im zugehörigen Steinsarkophag – bis zum heutigen Tag in ihrem Grab.

TUTANCHAMUN UND SEINE ZEIT

Gäbe es eine Steigerungsform des Wortes ›vergessen‹ (im Sinne von ›vergessen sein‹): Sie müßte wohl auf Tutanchamun angewendet werden – wenn wir sein Grab nicht hätten. Denn ohne dieses Grab mit seinen Schätzen wäre der junge, frühverstorbene Pharao am Ende der Amarnazeit eine der blassesten, unbekanntesten Gestalten der altägyptischen Geschichte. So aber wurde er für viele zum Inbegriff altägyptischer Kultur, altägyptischen Herrschertums und exotisch-königlicher Prachtentfaltung.
Dennoch wissen wir über sein Leben so gut wie nichts. Nicht einmal seine Herkunft ist genau bekannt. Zwar dürfte er mit der XVIII. ägyptischen Herrscherdynastie verwandt gewesen sein, ob er aber ein Bruder oder ein Sohn des ›Ketzerkönigs‹ Echnaton war, steht keineswegs fest. Auch über seine Beziehung zu Nofretete, Echnatons schöner ›Großer Gemahlin‹, wissen wir nichts Genaues. Tutanchamun war – falls er überhaupt Echnatons Sohn war – eher das Kind einer Nebenfrau. Doch scheint er, als er noch Tutanchaton hieß, zusammen mit seiner gleich ihm noch sehr jungen Gemahlin Anchesenpaaton, Nofretetes Tochter, den Nordpalast von Amarna bewohnt zu haben – und dort wohnte auch Nofretete. Ob aber alle drei – Nofretete, Anchesenpaaton und Tutanchaton – tatsächlich zur gleichen Zeit unter demselben Dach lebten, ließ sich bisher nicht erhärten. Es ist auch unbewiesen, daß Tutanchaton und Anchesenpaaton anfangs unter Nofretetes Einfluß besonders glühende Verehrer des von Echnaton verkündeten All-Gottes Aton waren. Gewiß ist demgegenüber nur die spätere Änderung des Namens Tutanchaton (= ›Reich [oder: ›vollkommen‹] an Leben ist Aton‹ bzw. ›Lebendes Bild des Aton‹ [so Werner Helck]) in Tutanchamun – was das gleiche bedeutet, nur daß

der Gottesname Amun an die Stelle Atons getreten ist. Gewiß ist auch die entsprechende Namensänderung seiner Gemahlin Anchesenpaaton (›Sie lebt für Aton‹) in Anchesenamun. Gewiß ist weiterhin die Aufgabe der von Echnaton begründeten neuen Residenz Achet-Aton (›Lichtort des Aton‹ [heute: Tell el Amarna]), gewiß endlich die Wiederherstellung der alten Religion durch das Restitutionsedikt von Memphis: die ›Gegenreformation‹ hatte unter Tutanchamun gesiegt. Die Ära Echnatons war vorüber.
Hier ist es an der Zeit, einen Seitenblick auf Echnaton zu werfen, der wie kaum eine andere Gestalt der Weltgeschichte die Bezeichnung ›vieldeutiges Rätsel‹ verdient. Man hat ihn als ›faustischen Wahrheitssucher‹ bezeichnet und in einem Atem mit Moses – aber auch mit Karl Marx – genannt. Tatsächlich lehrte er seine Anhänger eine neue Ästhetik, deren erstes Gebot die Suche nach Wahrheit war (die Kunst der sogenannten Amarnazeit schreckt daher auch vor der Darstellung des Deformierten nicht zurück: Beweise sind nicht zuletzt die Porträts Echnatons selbst). Tatsächlich verkündete er einen einzigen All-Gott, der sich sinnfällig in der strahlenden Sonnenscheibe manifestierte (daher der Vergleich mit Moses, für dessen Vorläufer man ihn erklärte), und tatsächlich führte er eine ›Verwaltungsreform‹ durch, die auch sogenannten ›Niedriggeborenen‹ und Ausländern Aufstiegschancen bot (für Marxisten Anlaß genug, von einem ›klassenkämpferischen‹ Aspekt seiner Maßnahmen zu sprechen).
Freilich – man hat auch erwogen, ob Echnaton geisteskrank war. Gewisse Eigentümlichkeiten seines Körperbaus auf seinen Porträts deuten zumindest auf eine Drüsenerkrankung hin, die möglicherweise nicht ohne Einfluß auf seine Gemütsverfassung blieb ... wenn wir es nicht mit künstlerischen Übertreibungen oder neugeschaffenen Konventionen zu tun haben, die eher aus dem Gestaltungswillen

ihrer Zeit zu beurteilen und vielleicht auch mehr mit dem Maßstab des Religionsgeschichtlers als mit der Elle des Pathologen zu messen sind. Dies gilt wohl auch für die zählebige Behauptung, Echnaton sei in Wirklichkeit eine Frau gewesen. Hatte er als irdische Verkörperung seines Allgottes doch wohl ›über den Geschlechtern zu stehen‹ und weibliche wie männliche Geschlechtsmerkmale in seiner Person zu vereinen! Schließlich hat man sich sogar gefragt, ob man Echnaton nicht unrecht tut, wenn man ihn als Neuerer betrachtet. Vielleicht war er erzkonservativ und wollte nur wiederbeleben, was er für die Quintessenz ägyptischen Königtums und ägyptischer Religion seit dem Beginn dynastischer Zeit hielt. Welche Rolle spielte bei all dem Nofretete? Zeitgenössische Darstellungen zeigen sie als Echnatons engste Vertraute, der gegenüber der König mit partnerschaftlicher Zuwendung nicht geizte. Dennoch hat es fast den Anschein, als sei Nofretete schließlich in Ungnade gefallen. In einem königlichen Pavillon – Maru Aton – kratzte man Nofretetes Namen und Bild aus und ersetzte beides durch Namen und Bild ihrer Tochter Meritaton, die vielleicht Nofretetes Nachfolge als Gemahlin ihres eigenen Vaters Echnaton antrat, mit Sicherheit aber Gattin des Mitregenten Semenchkarê war – eines jungen Verwandten (wohl ihres Halbbruders), der seinerseits Nofretetes Namen Neferneferuaton (›der Schönste der Schönen ist Aton‹) annahm. Haben wir damit zwei rivalisierende Familien ›fraktionen‹? Etwa hier Meritaton, Semenchkarê und Echnaton, auf der anderen Seite – im Nordpalast von Amarna – aber Nofretete, Anchesenpaaton und Tutanchaton alias Tutanchamun? Doch wir stellten bereits fest: Ob die drei königlichen Bewohner des Nordpalastes gleichzeitig dort residierten, ist keineswegs sicher. Daß Meritaton den fraglichen Pavillon erhielt und daraufhin Namen und Bild ihrer Mutter durch ihr eigenes Konterfei ersetzen ließ, muß kein Akt der Feindseligkeit sein, und die Übernahme des Namens Nofretetes durch Semenchkarê nimmt sich eher wie eine Ehrung Nofretetes aus. Vielleicht war Nofretete bereits tot, als all dies geschah.

Nofretetes Töchter Meritaton und Anchesenpaaton waren auf der internationalen Szene durchaus nicht unbekannt. König Burnaburiasch II. von Babylon ließ ihnen Artigkeiten bestellen, wenn er an den Hof in Amarna schrieb, und am Hof des Hethiterkönigs Schuppiluliuma in Hattusa (Chattuscha [Boghazköy]) verursachten sie Aufregung: Bat doch eine der beiden den Hethiterkönig, ihr einen seiner Söhne als neuen Gemahl zu senden, nachdem ihr bisheriger Gatte gestorben war. Man glaubte bislang, Anchesenpaaton alias Anchesenamun habe dies nach dem Tode Tutanchamuns getan, nach allerneuesten Untersuchungen scheint es aber eher Meritaton gewesen zu sein, die nach dem Tode ihres Vaters Echnaton an den Hethiterkönig dieses Ansinnen stellte. Nach einigem Zögern sandte Schuppiluliuma den Hethiterprinzen Zannanza. Dieser aber traf nie am Nil ein. Er wurde unterwegs ermordet. Wenn Meritaton die Bittstellerin war, muß sie kurz darauf Semenchkarê geheiratet haben.

Wie sehr Semenchkarê – Echnatons Sohn (?), Mitregent und unmittelbarer Nachfolger – auch Anhänger der Lehre Echnatons war, läßt sich nicht mehr sicher ermitteln. Immerhin besaß er (dies behauptet ein Graffito in einem thebanischen Grab) einen Totentempel in der ›Wohnstatt Amuns‹ (Theben) – für den höchsten Mann nach und neben dem ›Propheten‹ Atons eigentlich recht merkwürdig!

Tutanchaton, der schließlich Semenchkarês Nachfolge antrat, lenkte als Tutanchamun das Rad der Geschichte wieder in traditionelle Bahnen. Vielleicht aber traute man Tutanchamun doch nicht so recht, denn er soll ein gewaltsames Ende

gefunden haben. Freilich – eine Bestätigung dafür fand sich bei der Untersuchung seiner Mumie nicht. Zwei Kinderleichen (weibliche Frühgeburten) fand man in der Schatzkammer des Tutanchamun-Grabes. Vielleicht handelt es sich um Kinder des jungen Pharao. Unbekannt ist auch hier, ob wir es mit Totgeburten oder mit Opfern eines politischen Verbrechens zu tun haben. Sicher ist nur: Lebende Nachkommen hinterließ Tutanchamun nicht. Mit ihm starb, streng genommen, die so ruhmreiche XVIII. Dynastie aus. Seine Nachfolge – auch als Gatte der jungen Anchesenamun – trat Eje an, wohl eine Art ›Graue Eminenz‹ der späten XVIII. Dynastie (seine frühere Frau war bereits Nofretetes Amme gewesen, und manche halten ihn sogar für Nofretetes Vater – Anchesenamun hätte damit ihren eigenen Großvater mütterlicherseits geheiratet). Ein weiterer Verwandter Nofretetes, ihr Schwager Haremhab – der allerdings schon unter Tutanchamun zu hohen Ehren gelangt war, bevor er Nofretetes Schwester Mutnedjemet heiratete – beseitigte schließlich wohl Eje und Anchesenamun. Kinderlos bestimmte er seinen Waffengefährten Paramesse zum Nachfolger, der als Ramses I. den Thron bestieg. So begann die XIX. Dynastie (und damit die Ramessidenzeit).

Joachim Rehork

DIE PHARAONEN DER SPÄTEN XVIII. DYNASTIE:

Die nachstehend aufgeführten Pharaonen regierten insgesamt zwischen etwa 1400 und 1300 v. Chr. Im einzelnen schwanken die Zeitansätze dermaßen, daß wir hier auf genaue Angaben der Lebens- und Regierungsdaten verzichten.

Amenophis III.
Amenophis IV. (Echnaton)
Semenchkarê
Tutanchaton/Tutanchamun
Eje
Haremhab

DIE KÖNIGINNEN DER SPÄTEN XVIII. DYNASTIE

Amenophis III.	∞	Teje
Amenophis IV. (Echnaton)	∞	Nofretete (später vielleicht noch mit seiner Tochter Meritaton)
Semenchkarê	∞	Meritaton
Tutanchaton/Tutanchamun		Anchesenpaaton/Anchesenamun
Eje	∞	als König mit Anchesenamun (vorher mit Ti, der ›Amme‹ [Mutter?] Nofretetes)
Haremhab	∞	Mutnedjemet (Nofretetes Schwester)

REGISTER

STAMMTAFEL

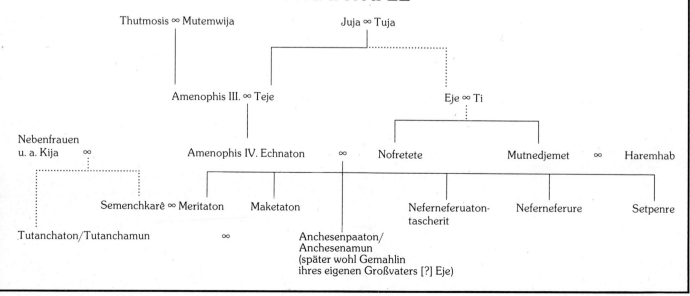